新潮文庫

母性

湊かなえ著

目次

母性

第一章　厳粛な時

母性について

10月20日午前6時ごろ、Y県Y市＊＊町の県営住宅の中庭で、市内の県立高校に通う女子生徒（17）が倒れているのを、母親が見つけ、警察に通報した。＊＊署は女子生徒が4階にある自宅から転落したとして、事故と自殺の両方で原因を詳しく調べている。

女子生徒の担任教師は「まじめでクラスメイトからの信頼も厚く、悩んでいる様子も特に見られなかった」と語り、母親は「愛能《あた》う限り、大切に育ててきた娘がこんなことになるなんて信じられません」と言葉を詰まらせた。

母の手記

私は愛能《あた》う限り、娘を大切に育ててきました。

迷いなくそう告げると、神父様は「なぜですか？」とお訊《たず》ねになりました。簡単な質問です。しかし、即答することができませんでした。神父様は「答えは次回でいいので、ゆっくりと考えてみてください」とおっしゃいました。

なぜ、子どもを大切に育てたのか。

このような質問を受けたのは生まれて初めてです。今、神父様にいただいたこのノートを書きながら気付きました。よくよく考えてみればおかしな質問です。大概の場合、行為に伴う「なぜ」は、悪いことに対して用いられるのではないでしょうか。

なぜ、嘘《うそ》をついたのか。

なぜ、盗んだのか。

なぜ、人を殺したのか。

嘘については、誰もが一度は、訊《き》かれたり、訊いたりしたことがあるはずです。悪い行為には必ず原因が伴い、それを知りたいと欲するのは、人間の本能ではないでしょうか。世間の人たちが、新聞やテレビや週刊誌で知った、自分にまったく関係のない事件に対しても興味を持つのがその証拠です。そして、原因がわからない場合には、勝手に想像することもあるのです。もちろん、「なぜ」にも例外はあります。

なぜ、褒めてくれるの？

なぜ、花をくれるの？

なぜ、私が死んだら悲しいの？

これらの行為は悪いことではありません。しかし、悪い行為に対する「なぜ」と明らかに違う点があります。それは、聞き手がすでに答えを予測できているということです。わからないから訊いているのではない。答えを知っていてなお、相手の口から直接聞き、確認したいために、わざと訊いているのです。

あなたが、がんばったからよ。

あなたが、好きだからよ。

あなたを、愛しているからよ。

耳に心地よい、心の中を温かいもので満たしてくれる言葉を聞きたくて、幼い頃から私は母に何度も「なぜ」を繰り返してきました。母の愛情を、私がこの世の誰よりも愛されていることを、確認するように。母の答えはいつも、私が予測していたものか、それ以上のもので、決して私を裏切ることはありませんでした。決して――。

ああ、神父様は「自分の心に向き合い、溢《あふ》れ出る言葉をそのままお書きなさい」と私におっしゃいましたが、こういうことではないはずです。

あの日のことを思い出すのはつらいけれど、心を落ち着けて、私と娘のことを、順を追って書いていかなければなりません。

結婚をしたのは二十四歳のときです。

当時、私は県内都市部の短大を卒業してY市に戻り、繊維会社の事務をしていました。その会社の同僚に誘われて入った市民文化センターの絵画教室で知り合ったのが、田所哲史《たどころさとし》です。

油彩は初めてでしたが、絵を描くのは子どもの頃から得意だったので、すぐに夢中になりました。教室ではいつも、真ん中の一番前の席に陣取り、有名なコンクールで入選歴のある先生に熱心に質問を繰り返しながら課題に取り組んでいました。

そのかいあってか、毎月、先生が選んだ上位三作品が、市民文化センター隣にある喫茶店〈ルノアール〉に展示されるのですが、三作品目で早くも選ばれることができました。

白い花瓶に生けられた、赤いバラを描いたものでした。

絵画教室の生徒は十人です。趣味の集まりとはいえ、どんなに嬉《うれ》しく誇らしかったことか。同じく初めて展示されることになった佐々木仁美《ささきひとみ》さんと手を取り合って喜んだものです。

選ばれたもう一人が田所でした。

彼は初回から〈ルノアール〉常連で、教室では彼を除く九名で残る二席を競っていたようなものでした。

しかし、私は彼の絵が嫌いでした。暗いのです。

花や果物、バイオリンなど、同じ物を見て描いているのに、私と彼とでは、色調も捉《とら》え方もまるで違いました。私の絵からは、物が発散するみずみずしさ、温かさ、明るさが溢れ出しているのに、彼の絵からはまったくそういったものを感じないのです。

それなのに、絵画教室の人たちは〈ルノアール〉で、私の絵を上手に描けていると軽く褒めたあと、彼の絵を絶賛しました。今回のはまた特別にいい、と。確かに、バラの花びらの彼独特の深い赤色からは情熱のようなものを感じ取ることができましたが、全体的な色調はいつも通りに暗く、私にはただの辛気臭い絵にしか見えませんでした。しかし、妬《ねた》んでいると思われたくなかったので、私も彼に賞賛の言葉をかけたのです。

「田所さんの絵はもの悲しいけれど、心に深くしみ込んでくるような、情緒が溢れているわ」

彼はさほど嬉しそうな顔をしませんでした。それどころか、少し軽蔑《けいべつ》するような目を私に向けたのです。テーブル席での美術談義にも加わらず、一人カウンター席につき、煙草《たばこ》をふかしながらコーヒーを飲んでいました。そのような態度を取られたのは生まれて初めてです。

なんて、失礼な人なのだろう。これまでの人生のどの場面においても、私が賞賛の声を送ると、誰もが顔一杯に喜びの表情を浮かべていたというのに。

しかし、不愉快な気持ちも、仁美さんのひと言でどこかへ吹き飛んでいきました。

「あなたの絵を見ていると、この人は愛されて育ってきたんだなってことが、よくわかるわ」

愛されて育ってきた。仁美さんは東京の女子大を卒業して、役場に勤務していました。教養のある人が見ればわかるのです。

嬉しくて、その言葉を、帰宅してそのまま母に伝えました。

「あなたの絵に愛が溢れているのだとしたら、それは、わたしやお父さんがあなたに愛を注いできたからというだけじゃなく、あなたがその愛をまっすぐに受け止めてくれたからでしょうね」

母はそう言って、早速、翌日、私の絵を一緒に見にいってくれました。〈ルノアール〉のご主人は母を見て、お姉さんですか？ と訊ねましたが、そんな言葉は聞き飽きていました。私たち母娘《おやこ》を初めて見た人のほとんどが、その言葉を口にしていたのですから。それでもやはり嬉しくて、母と顔を見合わせて微笑《ほほえ》んでしまいました。

母は名札が見えない位置から、私の絵がどれかわかったようでした。絵の前に立つと、やっぱりそうだわ、と言い、じっくりと眺めてくれました。

「子どもの頃から絵が上手《うま》いとは思っていたけど、こんなにも描けるなんて。心を込めて描いたのね」

心を込めて。子どもの頃から変わらない、母の褒め言葉です。それに対する、私の返事も決まっていました。

「バラはお母さんの好きな花だから、お母さんのために描いたのよ」

お母さんのために。絵、作文、習字、勉強、運動、すべて母に喜んでもらいたくて、褒めてもらいたくて、幼い頃からがんばってきたのです。しかし、そのときの私の言葉は、受け取り手を失って虚《むな》しく彷徨《ほうこう》し、消えてしまいました。「まあ、嬉しいわ」と返ってくるはずだったのに。

――この憂《うれ》いなく　ひらいた薔薇《ばら》の　内湖《うちうみ》に映っているのは　どの空なのだろう？

耳に心地よい詩のような言葉と、熱い視線が注がれている先には、田所の絵がありました。

他人ならば彼の絵を褒めても、「暗いものを賞賛しておけば、奥の深い人間のように思われると勘違いしているのだ」と心の中で突き放すことができますが、母は、ほうっておくことはできません。私は母の分身なのだから、同じものを見て違う思いを抱くなど、あってはならないことです。

しかし、母は私の胸の内などおかまいなしに、絵を賞賛しました。

「これを描いたのはどんな人なのかしら。このバラたちは、まさに咲き誇ったこの瞬間が一番美しく、あとに待つのは朽ち果てる運命だけ。命あるものが最期《さいご》に放つ美しさを表現した、すばらしい作品だわ。生き物が一番美しく気高く見えるのは、死を覚悟した瞬間だということを、この人はわかっているのね」

母のひと言で目の前にある絵の見え方が一八〇度変わりました。そして気付いたのです。母はこの絵に父の姿を重ねているのではないか、と。

父はその年の三年前に癌《がん》で亡《な》くなっていました。私は短大二年生で、家を離れて学生寮で暮らしていたため、母と一緒に父の最期を看取《みと》ることができませんでした。

母によると、父は自宅のベッドで一晩中、全身に転移した癌の痛みに耐えきれず、声を張り上げ、のたうちまわっていました。しかし、明け方、すっと痛みが引いたかのように落ち着くと、澄み切った目で母を見つめて言ったのです。「きみに会えて本当に幸せだった。今までありがとう」と。そして、穏やかに眠るように目を閉じたのだそうです。

そのときの父の姿が、母の目に愛する人の最期の美しさとして強く焼き付いていたため、私とは違う絵の解釈をしたのでしょう。

この絵を母にプレゼントしたらどんなに喜んでくれるだろう。

翌週、私は絵画教室が終わったあと、田所を〈ルノアール〉に誘い、展示が終わったらこの絵を譲ってもらえないかしら、と申し出ました。

「意外だな。きみは僕の絵があまり好きじゃないと思っていたのに」

田所は、私が褒めたのがお世辞であることに気付いていたのです。

「確かに、最初はただ暗い絵だなって思っていたの。でも、ずっと見ているうちに、この絵は、死を覚悟したものだけが表現できる美しさを備えていることに気が付いて、頭から離れなくなってしまったのよ」

母の言葉をそのまま伝えるのはもったいなく、少しアレンジしました。

「まさか、それに気付く人がいるとは。きみという人をもっと知りたくなった」

驚いたことに、彼は私に交際を申し込んできました。しかし、申し込まれることには慣れていたし、断るのにも慣れていたので、動揺することはありませんでした。

「私でいいのかしら」

照れたように俯《うつむ》いて言いましたが、胸の内では、一、二回デートをして、絵をもらったら、深く交際するつもりはないことを伝えよう、と決めていました。

田所の顔はお世辞にもハンサムとは言えませんが、少し落ちくぼんだ黒目がちの目に、どこか父を思わせるところがあり、嫌いではありませんでした。しかし、K大学という東京のかなり有名な大学を出ているのに、鉄工所の作業員というのが、「先生」と呼ばれる職業の人と結婚したいという私の願望に反するものでした。父は高校の英語の教員をしていました。

それなのに、なぜ、結婚したのか。

この「なぜ」が、よい、悪い、どちらの行為に当てはまるのか、今ではよくわかりません。

結婚を決意したのは、母の後押しがあったからです。

田所は初めてのデートの別れ際《ぎわ》、絵と一緒に『リルケ詩集』をプレゼントしてくれました。田所の車であじさい公園までドライブをしたのですが、美しく咲いたあじさいを見ても、昼食に名物料理を食べても、会話が弾むわけではなく、心がときめくわけでもなく、なんとも退屈なものでした。

絵を持ってきてくれていたので、これが最初で最後のデートになるだろう、と思っていました。ただ、田所は別れ際、プレゼントはくれたものの、次の約束をしなかったので、私の方からも、お礼を言うことしかできなかったのです。

母には田所と出かけることを、母の気に入った絵を描いた人だということも含めて伝えてありました。母に隠し事をしたことは、生涯一度もありません。

帰宅後、絵はもちろん、『リルケ詩集』にも、母は詩の中に出てきそうな乙女のように頬をバラ色に染めて、歓喜の声を上げました。

「やっぱり、リルケが好きだったのね。わたしも結婚前、お父さんにこの詩集をプレゼントしたことがあるのよ」

そう言って、暗唱し始めたのは「薔薇の内部」、田所の絵を見ながらつぶやいていたのはこの詩の一節だったのです。

――薔薇にはほとんど自分が　支えきれないのだ　その多くの花は　みちあふれ
内部の世界から　外部へとあふれでている

そこに、田所から電話がかかってきました。プレゼントは気に入ってくれた？　と訊かれ、幸せそうな母を見ると、はい、としか答えられず、次も二人で会ってくれないか、と言われると、断ることはできませんでした。

二度目のデートは映画でした。田所が別れ際に次の約束を申し出なくても、二人で会うのは今日で最後だと言おう、と心に決めていたのに、できませんでした。主人公の女性が激動の人生を送る洋画のラブストーリーに、私は深く感動し、その後に入った喫茶店で熱く感想を語ってしまったのです。

「田所さんはどう思った？」

「僕も感動したけど、終盤、主人公の台詞《せりふ》の訳し方に残念なところがあったな。汽車に飛び乗るときの『the point of no return』は、もう戻れない、じゃなくて、もはや引けない、の方があの場面には合ってた」

インテリぶって嫌だと感じる人もいるかもしれません。しかし、私には懐《なつ》かしいと感じたのです。父と映画を見に行くと、決まって同様のことを言っていたのですから。

コーヒーを片手に、店内に流れるジャズのナンバーをきれいな発音で口ずさんでいる姿も、父と重なりました。笑いがこぼれるような会話はなくとも、心地よい空間が生まれていることにとまどってしまったくらいです。

そんな状態で、喫茶店で売っているケーキを二つ詰めてもらった箱を、お母さんと一緒に食べて、と差し出されると、ありがとうございます、と頭を下げることしかできませんでした。

プロポーズをされたのは、三度目のデートのときです。

「結婚しないか」

雨の中、ドライブの途中に入ったレストランで突然言われ、とっさに「一度、母に会ってもらって、それから返事をさせてほしい」と頼んでしまいました。人によっては、自分の気持ちを伝えてから、親に相談するものではないのか、とあきれるかもしれませんが、田所は、それもそうだ、と頷《うなず》き、自分の親にも会ってほしい、と言いました。

田所の親に会うのは、まったく不安ではありませんでした。きっと気に入られるはずだ、と自信がありました。私を嫌う大人など見たことがなかったからです。

そんな私に忠告をしたのは、仁美さんです。絵画教室のあとで〈ルノアール〉に呼び出され、開口一番にこんなことを言われました。

「哲史と結婚するのは絶対に苦労するから、やめておいた方がいいわ」

仁美さんと田所は同級生で家も近く、田所本人のことも家族のこともよく知っている、と言うのです。私と田所が交際していることは絵画教室の誰にも言っていないのにどうして知っているのだろう、と疑問に思いましたが、私たちは変装してデートをしていたわけではありません。一緒にいるところをたまたま見かけたのだろう、とあまり深く考えずに仁美さんの話に耳を傾けました。

「彼は学生の頃、闘争に参加していたの。逮捕歴こそないけれど、こっちに帰ってきてからも、最初の就職先で上にたてついて、半年でクビ。それに懲《こ》りてなのか、かなりおとなしくなったけど、またいつ火が付くかわからない。わりとやっかいな性格なのよ」

学生運動のことでした。私の寮の友人も数名、集会やデモなどに参加していましたが、私は一度もそういった活動に興味を持ったことはありません。大声を張り上げて抗議したいほど、世の中に対して不満などありませんでしたし、武器を片手に殴り殴られるような、両親を心配させたり、悲しませたりすることをしたくなかったからです。ただ、価値観の違いはあれども、それは田所と私とで話すべきことだと思いました。

「私は彼をとても誠実な人だと思っているわ」

そんなふうに返しても、仁美さんの忠告は終わりませんでした。

「もっと厄介なことがあるのよ。あの家は昔、地主をしていたから、お金には不自由しないと思うけど、偏屈なお父さんと口うるさいお母さんがいるの。特に要注意なのはお母さんの方ね。とにかく厳しくて、他人にもしょっちゅう言いがかりをつけてくるの。わたしも昔はよく怒られたものよ。そんな家に嫁いだら、年がら年中文句の言われ通しで、あなたみたいなお嬢さんは、気がおかしくなるに決まってる」

「よく考えてみるわ、ご忠告ありがとう」

神妙な顔でお礼を言いましたが、内心では、仁美さんに非があるから怒られるのだ、と思っていました。相手が自分に何を求めているのかを考え、察し、それを実行できる私が、文句を言われることなどあるはずがない。

実際、田所に連れられて彼の家を訪れた際、私は何も注意されることはありませんでした。仁美さんの忠告などまったく意味がない、いえ、むしろ私を後押しするものになっていたのです。

注意をされないよう完璧《かんぺき》に振る舞おうとするあまり、田所の母親が私を一度も褒めなかったことに気付けなかったのですから。いつもの私であれば、絶対に気付き、結婚の話が決まる前に、母に不安な思いを打ち明け、田所の両親に会ってもらっていたはずです。

それなのに、私はかなり気をよくして、あとは母が田所を審査するだけだ、と思ってしまったのです。

田所は背広を着て、自分の描いた絵を持って、我が家にやってきました。あじさいの絵でした。初デートの時に二人で見た、と田所は母に言いましたが、私の目に映ったのは太陽の光を浴びて輝く鮮やかな紫色の花で、曇天の中、そこにだけ色があるような寂しい花ではありません。結婚の申し込みにきているのに縁起が悪い、と少し腹が立ちましたが、母はその絵を絶賛しました。

そして、夫はあじさいが好きでした、などと父の思い出を語り、リルケの詩を暗唱し始めたのです。「薔薇色のあじさい」でした。

――誰がとった　この薔薇色を？　それが集って　この花の中にあると　誰がまた知っていた？

――はげかかった金メッキの器《うつわ》のように　まるで手摺《てず》れでもしたように　あじさいはそっと薔薇色を解く

途切れた箇所を田所が補い、二人はしばらくのあいだ、どれに感銘を受けたかなど、リルケの詩の話題で盛り上がりました。

音楽や映画の趣味も合ったようで、母はとても楽しそうでしたが、田所自身のことをどう思っているのかは、よくわかりませんでした。いつもは訊ねなくても、一緒にいるだけで母の気持ちを察することができたのに、まったくもって想像がつかなかったのです。気に入っているのかいないのかなら、気に入っている、の方だろうけれど、娘の結婚相手としてはどう思っているのか。

田所が帰ったあと、私は母に、彼をどう思うかと訊ねました。

「湖のような人。たぎる情熱や一番大切な感情を、深い底に沈めているんじゃないかしら。正直なところ、彼のような人にとって、お日様みたいなあなたはまぶしすぎるんじゃないかと少し心配にもなったけど、あなたと結婚したいということは、湖の底に沈めたものを、日の当たるところまで引き上げて、キラキラと輝かせて欲しいと願っているのかもしれないわ」

お日様と深い湖。そう例えられると、私が結婚を断ると、田所の人生には永遠に日が射《さ》さないのではないかと、心配になってきました。

「私にできると思う？」

「できる。だって、あなたはわたしをこんなにも幸せにしてくれているじゃない。自分を求めてくれている人を、あなたが幸せにできないはずがないわ」

私に勇気を与えてくれる人。母こそ私の太陽です。

翌日、私は田所に会いました。そうして訊ねたのです。

「あなたは私とどんな家庭を築きたいの？」

田所が私に何を求めているのかを知りたいと思いました。もしも、社会の権力に対して共に闘う相手、または、彼の活動を補佐する相手、理解する相手、といった答えが返ってきたら、断ろうと決めていました。

母の後押しをふいにするようで申し訳ないけれど、後々、母を悲しませるようなことになるよりはいい。

田所は答えました。

「美しい家を築きたい」

その言葉に、やはり母の考えは正しかったのだという思いがからだの底から湧《わ》き上がり、田所との結婚を決めたのです。

ところで、「美しい家」とはどのような家のことだと、神父様はご想像されますか？

田所からその言葉を聞いたとき、私は頭の中に、花の咲き乱れた家の庭で、田所と私と私たちの子ども、そして、私の母とが、穏やかに笑い合っている姿を、キラキラと輝く太陽が柔らかく照らしている一枚の絵を思い浮かべました。

家族が互いに愛し愛され、その喜びが内面から自然とにじみ出る様、それを美しいと感じたのです。確かに、花も家屋も、着ているものも、子どもの姿も、きれいに越したことはありません。美しい花、美しい家屋、と単体で当てはめれば言葉として成立しますが、それらが集まったものを「美しい家」とは呼ばないのではないでしょうか。

きっと私と田所が思い浮かべている「美しい家」は同じ絵に違いない。

私はそう信じていましたし、「美しい家」を築くことができるとも確信していたのです。

出会ってから一年後、小さな家で、田所と私の新婚生活が始まりました。

田所は長男ですが、まだ学生の妹たちがいるため、同居をする必要はないと、田所の両親の方から言い出して、家を用意してくれたのです。

田所の実家からはやや遠く、私の実家からはバス一本で半時間足らずの距離という、絶好の場所です。建物は築二十五年の木造平屋という古い物件でしたが、白い壁と緑の屋根、イギリスの片田舎にありそうな可愛《かわい》らしい外観を、私はとても気に入っていました。

山の麓《ふもと》、くぬぎの木が生い茂る雑木林の斜面を背にした高台にあり、沈む夕日に染まる町を見渡せる、というすばらしいロケーションも。

ささやかな庭の花壇には、バラやユリ、パンジーやマリーゴールドなど、季節の花を植えました。田所にもらった赤いバラの絵は、二人を結びつけるきっかけになったのだから、と母に言われ、私たちの家の玄関に合う額に買い換えて飾ることになりました。

仕事は結婚を機にやめました。母のような専業主婦になりたかったからです。

朝、田所より三十分早く起きて、朝食と弁当の準備をする。田所を起こし、支度を調えて会社に送り出す。そのあと、母のもとを訪れる。それが、平日の過ごし方でした。

母は、いくら向こうの親と同居していないからとはいえ、嫁いだ娘が頻繁に実家に帰ってくるものではない、とやんわりと私を窘《たしな》めました。しかし、私にはちゃんと言い分がありました。何の心構えもなく、あれよあれよというまに結婚してしまった私には、本来なら結婚前に母から教わるべきことが、充分、身に付いていなかったからです。

そう伝えると母も納得し、私が訪れるごとに、新しいことを一つずつ教えてくれました。料理、裁縫、編み物、着付け、礼状の書き方。母から娘へ……、結婚前よりも濃密な母との時間でした。

母は結婚後も変わらず、一つ新しいことができるようになるたびに、私の頭を撫《な》で、がんばったのね、と褒めてくれました。

高校の調理実習で作った三色丼《どんぶり》とハンバーグという二品しかなかった料理のレパートリーも、三ヶ月後には、両手足では数え切れないまで増やすことができ、新婚当初は、ここまでお嬢さん育ちだとは思わなかった、とあきれていた田所も、まったく皮肉めいたことを口にしなくなりました。

ただ、おいしい、と言われたことはありません。

髪型を変えても、新しい洋服を着ても、きれいだね、似合うよ、などと言われたことはありませんし、部屋を掃除しても、花を飾っても、何も言われません。

田所家の人は「褒める」という言葉を知らない。私がそれに気付くのはまだずっと先になります。しかし、田所に褒められなくても、あまり気になりませんでした。気難しい人のところに嫁いでがんばっている娘を、母が褒めてくれる。それで充分だったのです。田所は「怒る」ということもなかったので、尚更《なおさら》です。

田所は週末ごとに、絵を描きました。私をモデルにしたり、夕日の沈む町や庭の花々を描いたり。相変わらず、辛気くさい色調でしたが、出来上がった絵を見て母が「哲史さんは、あなたのことを本当に愛しているのね」と言ってくれると、言葉はなくとも、私は愛されているのだと満たされた気分になることができました。

とても、幸せな日々でした。

妊娠に気付いたのは、結婚して半年経《た》った頃でした。

朝起きるとからだが熱っぽく、台所に立つとタイマーでセットしておいた炊飯器から立ち上る湯気の匂《にお》いで、吐き気をもよおしたのです。もしや妊娠？　と思った瞬間、足元がぐらつくような錯覚を起こし、あわてて寝室に駆け込んで布団《ふとん》をかぶりました。

田所は風邪や疲労といった、私の小さな不調に気付くことはありませんでしたが、そのときばかりはさすがに、どうしたんだ？　と心配そうに声をかけてくれました。

しかし、田所に、妊娠の可能性があることを打ち明けたくはありませんでした。言ったところで、彼が何とかしてくれるとは思えなかったからです。

私は田所に、母を呼んで欲しい、と頼みました。

駆けつけた母は私を見るなり、赤ちゃんができたのね、と穏やかな笑みを浮かべて言いました。おめでとう、とも。母の笑顔を見た途端、涙が溢れ出しました。感動したのではありません。怖《おそ》ろしい、という気持ちが込み上げてきたのです。

自分のからだの中に生き物が存在する。その生き物はこれから、私の血や肉を奪いながら成長していく。そして、私のからだをつきやぶり、この世に出てくるのだ。そのとき、私は生きているのだろうか。新しい生き物にすべてを奪われ、私という人間の抜け殻だけが残るのではないだろうか。……そんな思いに支配され、ぶるぶると震えが止まらなくなってしまったのです。

怯《おび》える私を、母は優しく抱きしめてくれました。

「怖がらなくてもいいの。お母さんは、自分が生まれてきて本当によかったと思ってる。あなたを産んだときもそう思ったけど、今はその二倍、喜びを感じているの。だって、自分の命がより未来に繋《つな》がることがわかったんですもの。わたしはなぜこの世に生まれてきたんだろうって、子どもの頃、ずっと考えてた。答えが見つからずに、このまま死んでしまってもいいんじゃないか、なんて思ったこともある。だって、特別頭がいいわけではないし、大きな才能に恵まれていたわけでもない。わたしがこの世にいてもいなくてもまったく何も変わらない。わたしの存在に意味はない。でもね、あなたを産んだときに思ったの。わたしはこの世に何も残せなくても、わたしの子どもは何か残すことになるかもしれない。その子が残せなくても、その子が産んだ子が何かを残すことになるかもしれない。でもそうなるのは、わたしという存在があったから。ちゃんと結婚して、子どもを産んだから。歴史の中に点ではなく線で存在できる、ということなのよ。こんなに素敵で幸せなことはないでしょう」

気が付くと、涙は止まっていました。

母と二人で病院に行き、妊娠三ヶ月だということがわかりました。帰りに母は、お祝いだといって、季節外れにもかかわらず私の大好物のぶどうを買ってくれました。

仕事から帰ってきた田所に妊娠を報告すると、彼なりに嬉しかったのか、「明日からは早起きしなくていいし、掃除や他の家事も手を抜いてくれていい」と私を気遣う言葉をかけてくれました。そして、翌朝、いつもより三十分早く起きて食事の支度をしてくれたのです。

いつも私が作っているのと同じ、ごはんとみそ汁でしたが、夕食は、仕事帰りに買ってきた材料で作った、ナポリタンスパゲティとミックスジュースでした。つわりの身にトマトソースは苦しかったのですが、体調が良ければかなりおいしく食べられていただろうという完成度でした。

古い家で育ち、自分で食器を下げたこともない人が、こんなにも料理上手だったことに驚きました。大学生の頃、喫茶店でアルバイトをしていて厨房《ちゅうぼう》に立つこともあったので、そこのメニューはひと通り作れるのだそうです。

もっと早く教えてほしかったわ、と少しふくれて抗議すると、きみが僕のためにがんばってくれているのが嬉しくて言い出せなかったのだ、と田所はお腹《なか》だけではなく心を満たすようなことまで口にしたのです。

母に報告すると、すごいわね、と感心していましたが、「でも、甘え切っちゃだめよ」とも言われたので、台所に立てないほど体調が悪いときにだけ、田所に食事の支度を頼むことにしました。

栄養に気を配り、休養をしっかり取る。適度に散歩をし、クラシック音楽を聴いたり、詩を朗読したりする。リルケの詩を暗唱できるようになるごとに、情緒豊かな感性を送り込んでいるような気分になり、お腹の中の生き物を大切に育てるという行為は、絵を描いたり、花を育てたりすることに似ていると思いました。

愛情を込めて、上質な作品を生み出す。母に喜んでもらうために。

新しい命を美しい花で迎えられるよう、庭にコスモスの苗を植えました。

病院によっては、家族が出産に立ち会えるところがありますが、高台の家から一番近い産院は立ち会い禁止という方針でした。もともと、田所に立ち会ってもらいたいとは思っていなかったけれど、産んだ後、分娩室《ぶんべんしつ》に入ることができるのは夫だけだと知ったときは、こんな病院を選ぶのではなかったと後悔しました。

生まれた子どもを、まずは、母に見てもらいたかったからです。

私に見せてくれなくてもいいから、母に見せて欲しい。

からだが分裂してしまいそうな痛みに耐えたあと、かん高い声でギャーギャーと泣く赤紫色のかたまりを顔の横に近付けられ、「おめでとうございます。元気な女の子ですよ」と言われても、それがどうしたのだ、としか感じられませんでした。上質な作品とは言い難い、しわくちゃで鼻の低いぶさいくな顔で、これでは母ががっかりしてしまうのではないかと、涙が出そうになったくらいです。

「パパも今呼びますからね」

看護婦にそう言われて、「パパ」とは誰のことだろう、と一瞬考えました。田所は両親を「親父《おやじ》、おふくろ」と呼び、私は「お父さん、お母さん」と呼びます。子どもが生まれるからといって、互いを「パパ、ママ」だのと呼び合ったことはありません。

子どもにどう呼ばせるかと、二人で相談したこともありませんでした。自分と同じように、「お父さん、お母さん」と呼ばせるのだろうと漠然と考えていたのですが、ふと、それはイヤだ、と思いました。

お母さん、などと呼ばれたくない。私にとって「お母さん」という言葉は、愛する母ただ一人のためにあるのだから。軽々しく用いたくありません。

そこに、田所が入ってきました。看護婦から手渡された赤ん坊を、恐る恐るほんの数秒間抱き、慌《あわ》てて返しました。そして、私の方に向き直ると、ありがとう、と言って、大きな手のひらで頭をゆっくりと撫でてくれたのです。胸の奥がじんとなるのを感じながら、返す言葉を探していると、涙でにじんだ視界の端に、母の姿が映りました。赤ん坊を抱いています。

「お母さん」

すがるように声をかけると、母は赤ん坊を看護婦に渡し、私の枕元《まくらもと》に来てくれました。

「本当はダメなんだけど、ドアの隙間《すきま》から必死で覗《のぞ》いていたら、看護婦さんが、特別ですよ、って中に入れてくれたの。元気でかわいい女の子を産んでくれてありがとう。今日ほど嬉しい日はないわ」

「どうして？」

「わたしの愛する娘が、こんなにすばらしい宝物を授かったからよ。本当に、本当によくがんばったわね」

頭に載せられた母の手のひらは田所の何倍も温かく、優しい声はからっぽになった私のからだに、温かくしみ込んでくるようでした。母の愛情に満たされてこの世に生まれ、母の愛情を受けて育ち、お腹に宿った新しい命に母の愛情を分け与えながら育て、すべてを与えきり、この世に生み出す。しかし、私は抜け殻ではない。赤ん坊をこの世に生み出すことにより、私のからだは再び母の愛情に満たされたのだから。

人生で一番幸せな日でした。

本当は、不幸の始まりであったのに。

夜が明けて、新生児室のガラス越しに娘を見た母は、歓喜の声を上げました。

生まれた直後こそ、顔もからだも鬱血《うっけつ》して、妖怪《ようかい》のような赤紫色の肌をしていたし、鼻もつぶれていましたが、一夜明けると、どの赤ん坊よりも色が白く、鼻がツンと高い美しい子どもに様変わりしていたのです。母が喜んでくれたのは当然のことながら、昼前にやってきた田所の両親のご満悦な様子を見て、私はひと仕事を果たせた充足感に満たされました。

「律子《りつこ》の赤ん坊のときにそっくりだ。口元は憲子《のりこ》に似ているかもしれないねえ」

義母が義妹たちの名を出したときには不快感が込み上げましたが、田所家の人たちが帰ったあと、

「団子っ鼻の一族が、何、寝ぼけたことを言ってるのかしら。わたしやあなたと同じ顔をしてるっていうのにねえ」と母が言い、一緒に笑うと、まったくどうでもいいことのように思えました。

唯一《ゆいいつ》、気に入らなかったのは、娘の名前を義母が決めたことです。女の子なら花にまつわる名前を、と私はいくつか名前の候補を上げていましたし、田所も姓名判断の本を買ってきてそれらの名前を調べていたのですが、有名なお坊さんに五万円も払って決めてもらったのだ、と言われると、渋々引き下がるしかありませんでした。

ため息をつく私を救ってくれたのは、やはり母のひと言です。

「わたしの親友二人から、一文字ずつもらった名前だわ。どちらも、きれいで、頭が良くて、優しくて。この子もきっと、そうなるはずよ」

娘を高台の家に連れて帰り、親子三人、そして母と過ごした日々は、私の人生における最後の至福のときとなりました。

田所は週末になると、娘の絵を描きました。

眠る姿、うつ伏せの姿、お座りの姿、立ち姿、成長に合わせて描かれた娘の絵はいずれも、白い肌にバラ色の頰、桜色のくちびるで、彼の絵に初めて、背景を含め、明るく温かい色彩を見ることができました。母はそれらの絵もやはり褒め称《たた》えました。

「哲史さんは、生きていくものと滅びていくものを、ちゃんと見分けることができるのね」

感慨深げにそう言われると、田所がこの世の成り立ちや、人間の根源というものをすべて理解できているかのように思えました。しかし、幼い娘を生きていくものだと判断したのなら、おむつの一つでも替えてくれてもいいのではないか、と不満な気持ちを抱きました。

田所は食事の支度をすることはできても、娘に触れることができず、そのため、娘は私一人が育てたようなものでした。

溢れるほど出ていたのに、娘はどういうわけか母乳を嫌いました。少し口に含んではぶっと吐き出し、私の胸から顔を背けるのです。お腹がいっぱいなのではありません。哺乳瓶《ほにゅうびん》に作ったミルクを与えると、おいしそうに飲み出すのです。そのため、寒い季節に毎晩何度も台所に立ち、ミルクを作らなければなりませんでした。

物心つく前から娘は私を拒否していた、と言えるのかもしれません。しかし、そのようなことは深く考えず、私は母親として出来る限りのことを娘にしてやろうと、努力を惜しみませんでした。

母がフランス製の刺繍《ししゅう》の入った豪華なアルバムを買ってくれたので、写真も毎日のように撮りました。子を授かった母親の喜びが伝わるよう、アルバムに整理する際は、『リルケ詩集』から引用した文章や、自分で考えた文章を添えました。

――ああ　微笑　初めての微笑　私たちの微笑――

――可愛い私の天使さん、あなたは風の中にどんなささやきを聴いて微笑んでるの？

――花が咲き誇るのはあなたのために、小鳥がさえずるのはあなたのために、この世のすべての喜びは、みんなあなたのために……

アルバムをめくりながら母は、「心を込めて作ったのがよくわかるわ。あなたは立派な母親になったわね」と褒めてくれました。

洋服もたくさん縫いました。ヨーロッパの田舎では、女の子は幼少期に母親が縫ってくれた服を嫁ぐ際に持って行き、自分の子どもに着せるという風習がある、と何かの雑誌に書いていたのを見つけ、素敵だなと思ったからです。

母に教えると、「わたしもあなたにたくさん縫ったのに。とっておけばよかったわ」と、とても残念がったので、一緒に作ることを提案しました。母と一緒に布を選び、作り方を教えてもらいながら、ひと針ずつに願いをこめて縫い上げる。

私のように、誰からも愛される子になりますように。

そのためには、私が一番に愛してやらなければならないことも、わかっていました。母が私にそうしてくれたように。

娘の成長に併せて、他人を思いやる心も教えました。公園で泣いている子がいると、あの子はどうして泣いているんだろうね、と娘に問いかけ、さびしいのかな、と返ってくると、「じゃあ、一緒に遊ぼう、って言ってあげたら?」と一番適切な答えを教えてやるのです。

寒そうにしている人にはどうしてあげたらいい?

お腹がすいている人にはどうしてあげたらいい?

怒っている人にはどうしてあげたらいい?

そんな質問を、日々の生活の中で優しくなげかけていくうちに、娘は私の思いを深くくみ取り、私が一番望む答えを返せるようになりました。

てをつないであたためてあげる。

わたしのおやつをはんぶんこしてあげる。

どうしておこってるのって、きいてあげる。

母親として、これほど嬉しいことがあるでしょうか。

娘がまだ三歳、幼稚園の年少クラスのときのエピソードです。

祖父母参観日の日に母が外せない用事があり、田所の母親に行ってもらうことになりました。私が付いていくこともできず、何か気に障《さわ》ることが起きて園内で怒り出したらどうしよう、と家で心配しながら待っていると、義母は上機嫌で娘の手を引いて帰ってきました。そして、こちらが何も訊かないうちから、園での出来事を話し出したのです。

義母が幼稚園に着くと、娘を含む園児たちは教室にいました。皆、自分の祖父母を見つけてもせいぜい手をふるくらいで、遊びに夢中になっていました。

そんな中、娘は園庭に自分の祖母の姿を見つけると、教室の外に出て行き、各教室前の土間に置いてある来客用のスリッパの箱からひと組取り出すと、「おばあちゃま、どうぞ」と義母の前に並べて置き、「きょうはさんかんびにきてくれて、ありがとうございます」とぺこりと頭を下げ、教室の中に案内したというのです。

こうしなさいと、事前に教えていたわけではありません。

「さすが、田所の孫だと、あたしゃ、鼻が高かったよ」

私がいなくても娘はそんなことができるようになったのか、と胸が熱くなりましたが、「田所」は関係ありません。たまに顔を見せに訪問しても、家にあれだけ女がいるにもかかわらず、お茶の一杯も滅多に出てこないのですから。しかし、義母はこうも言ってくれました。

「あんたが、ちゃんとこの子をしつけてくれているおかげだ」

初めて、義母に褒められたのです。

厳しい人だけど、期待に応《こた》えれば、こうして褒めてくれるのだ。私を愛してくれるのだ。ああ、ここに母がいて、今の言葉を聞いていたら、どんなに喜んでくれたことだろう。それよりも、参観日に行ったのが母だったら、どんなに私を褒めてくれただろう……。

そんなふうに思いました。しかし、このようなエピソードは、それから何度も、ときをかえ、場所をかえ、状況をかえ、母の口から語られることになったのです。

買い物に行って、好きなケーキを買ってあげるって言うと、おばあちゃんはどれが好き？　ママはチョコレート味、パパはコーヒー味が好きなの、って自分のよりも先にわたしやあなたたちの分を選んだのよ。

公園で遊んでいたら、転んでしまった子がいてね。一緒に遊んでいる子じゃないのに、一番に駆け寄って、大丈夫？　ってハンカチで血を拭《ふ》いてあげているの。お気に入りのうさちゃんのハンカチなのに、何のためらいもなくよ。

このあいだ、うちまで哲史さんとあの子が車で送ってくれたでしょ。別れ際、あの子、なんて言ったと思う？　おばあちゃん、寒いからお風邪をひかないように気をつけてね、って。

母が褒めてくれるのは娘の人を思いやる心だけではありませんでした。

幼稚園で知り合った母親たちの中には、子どもを学習塾や英会話教室に通わせる人もたくさんいましたが、私は勉強に関しては、それほど力を入れていませんでした。愛されるためにより必要なものがあるからです。しかし、娘は人一倍利発な子だったのです。遊び道具として与えた絵本で、英単語や平仮名、片仮名、九九までも憶《おぼ》えたのですから。田所の血ではなく、私の父の血のおかげだと思います。

今度、動物園に連れていってあげなきゃ。ゾウもカバも、英語でなんていうのか知っているんだから。

片仮名で書かれたケーキの札を全部読めたから、お店の奥さんが感動してね。おまけにプリンをつけてくれたのよ。

お肉屋さんでもね、六十円のコロッケが四つだから二百四十円ね、ってわたしより も早く計算できるんだから。

娘の話をする母は本当に嬉しそうでした。そして、その喜びに満ちた表情のまま私に言ってくれるのです。

「わたしたちの宝物をいい子に育ててくれたわね。あなたは本当によくがんばっているわ。お母さんはそれが一番嬉しい」

娘を愛し、親に愛され、何と私は幸せなのだろう。幸福を嚙《か》みしめていました。

庭には花が咲き乱れ、田所は娘を小さな椅子《いす》に座らせて絵を描き、母と私は時折リルケの詩を口ずさみながら、微笑んで二人の様子を眺めている。キラキラと輝く太陽の光は私たち四人を柔らかく包み込み……。思い描いたままの「美しい家」の絵がそこにあったのです。

しかし、その幸福は長くは続きませんでした。

神父様——。幸福だったときのことを書ききったのに、私には答えを見つけ出すことができません。

なぜ、私が娘を、愛能う限り大切に育てたのか。

本当に答えが存在するのでしょうか。答えを捜すことが目的ではなく、私の心に平静を取り戻させるために、神父様はこのノートを与えてくれただけではないのでしょうか。

それとも、神父様ならここまで読めば、もう答えをおわかりなのでしょうか。

それとも、神父様は最初から答えをご存じで、私が自分で見つけ出すことができるよう導き、待ってくださっているのでしょうか。

ノートをお渡ししますので、もし答えをご存じなら教えてください。

ここから先のあまりにも残酷な出来事を、私には書ける自信がありません。

娘の回想

漆黒の闇《やみ》の中で思い描くのは、いつも同じこと。

あのまま夢の家で過ごせていたら、どうなっていただろう。

特別な気候でも湿度でもないのに、すべての音が消えてなくなり、空気の流れる気配だけが耳の奥に深くゆっくりと響き渡る夜がある。過去の一番幸せだったときの記憶を呼び戻す時間。思い出に浸る幸せな時間。

その中でわたしは何かを必死に捜している。何かとはなにか。だけど、すぐに朝が訪れて、現実を目《ま》の当たりにしなければならないことも頭の片隅で認識しているため、完全に浸りきることはできない。何かの正体もわからない。

それが、わたしという人間なのだろう、きっと。なのに、今いるこの闇は永遠に明けないような予感がする。だから、思い切り記憶を呼び戻し、人生に足りなかったものを補いながら、深い眠りに就くことにしよう。

わたしの記憶はある出来事を境に、無色無臭の世界となる。だけど、ごく稀《まれ》に色や香りが伴うこともあり、これは幸せな出来事だったのだということを、わたしに再認識させてくれる。

愛されていない子どもには、あそびがない。

あそび、だろうか。ゆとり、余裕、という言葉にも置き換えられるかもしれない。

ただ、あそびがないという性質は、他者から「まじめ」という一般的な褒め言葉で表現されがちなので、本人は自分に欠けているものがあることに気付こうとしないし、他者からその性質を感じとっても、自分には必要ないものだと判断してしまう。

だけど、機械や洋服に必要なその性質は、当然のことながら人間にも必要なのだ。努力して身につける性質ではない。もともと備わっているはずのものなのに、どうしてわたしにはないのか。生まれたときには備わっていたのに、成長するにつれて退化してしまったのか。

まずはそれについて考えてみたいけれど、人生を振り返るときに生じる疑問に対して、答えがわかる頃には、大概が手遅れになっているものだ。

とにかくわたしは、周囲の人、特に大人たちの反応を気にする子どもだった。あの人の目にわたしはどんなふうに映っているのだろうか。迷惑がられていないか。感じのいい子だと思われているか。わたしの行動や言葉は喜んでもらえているのだろうか。……くだらない。

例えば、中学生の頃、わたしはバス通学をしていた。

ネクラだと思われていたわけではないから、待合室に同じ学年の子たちがいれば、おしゃべりの輪の中に誘われ、クラスや部活動の友だちとは別に、四、五人の下校仲間というのができた。田舎のバスは登下校の時間でさえ、一時間に二本しかなく、夕イミングを逃すと三十分近く待たなければならなかった。だけど、待合室でおしゃべりをしていれば、あっというまに時間は過ぎていく。

○○は××のことが好きなんだって。でも、××が好きなのは……。自分に関係ないことでも、わたしもみんなも夢中になって話していた。関係ないことだから、人目を気にせず盛り上がれていたのかもしれない。

待合室の中には、ミント色の空気が満ち溢《あふ》れていた。

そう感じるのは、この頃、チョコミントアイスが流行《はや》っていたからだろうか。全国的にかどうかはわからない。けれど、当時の少女マンガの主人公はこれが好きだったし、タイトルにもミントという言葉はよく使われていた。まだ田舎に出回っていない頃に食べた子は、めちゃくちゃおいしかったよ、と自慢していたのに、近くのスーパーでも出回るようになってからはいち早く、歯磨き粉みたいでどこがおいしいんだかわかんないよね、とコロッと意見をかえた。

これも、きっと、わたしにはない性質だ。ただ、「ホントホント、からだに悪そうな色だし」などと言いながら、一緒に声をあげて笑うことはできた。バス停の近くにあるめぼしい建物が学校しかなかった頃には。

二年生の後半、バス停前に内科の個人病院ができてからは、待合室のベンチには、高齢者や子ども連れの母親たちが多く見られるようになり、ミント色はわたしたちのいるところ、空間のほんの一部だけとなってしまう。

いや、わたしはミント色の外側にいた。

いつものようにふわふわとした無益なおしゃべりをしながら、ふと待合室の片隅を見ると、おばあさんが眉《まゆ》をひそめてこちらを見ていた。その隣では、若い母親がぐったりした子どもをひざに座らせ、汗ばんだ額を撫《な》でている。具合の悪い人たちに、わたしたちのキンキン声は苦痛だろう。

「もうちょっと声落とさなきゃ、迷惑だよ」

わたしはみんなにそう声をかけた。

その途端、ものすごく盛り上がっていた、一番人気の先生をめぐる新人女教師と三年生の先輩のバトルネタは、世の中で一番どうでもいいことのようにその場から切り捨てられた。みんなはつまらなそうな顔をして、外に出てのびをしたり、手鏡を開いて横髪の流れ具合を直したり、枝毛を捜したりする。声を潜めて、楽しい話の続きをすることなど、九九パーセントの確率で起こらない。待合室の中に静けさが広がり、ミント色が消える。寂しさが込み上げるのを、胸の内で押し留めるようにつぶやく。

わたしは間違ったことはしていない。

だけど、今になって気付く。無駄なことだったのだ。静かになったからといって、待合室の人たちはわたしに感謝などしていない。それでも、自分たちの行為が周囲に疎《うと》ましく思われていることが気になるのなら、もっと言い方を考えればよかったのだ。

それに気付くチャンスは、高校に入ってから何度かあった。

中谷亨《なかたにとおる》は言ってくれたじゃないか。つき合ってまだ間もない頃だ。

「おまえの言ってることは正しいけど、情がない」

初めから、他のカップルにあるような淡いピンク色の空気に覆《おお》われることはほとんどなかったけれど、彼氏のくせにここまで辛辣《しんらつ》なことを言うか、と腹が立った。

「正しいことを言ってるのに、なんでそれを否定されなきゃいけないの？　情ってなに？　そんなのかける必要があるわけ？　悪いことをしたから責められるのに、さも自分が被害者のように傷ついた顔をするなんて、卑怯《ひきょう》じゃない」

亨にさえ理解してもらえないことが悔しくて、ボロボロと涙が溢れ出した。泣くだけなら可愛《かわい》げもあるだろうけど、泣きながら怒り倒すのがわたしだ。

亨はやれやれと困ったような顔をして、言い方をかえた。

「ごめんごめん、そういうつもりじゃなかったんだ。担任がその日の気分で言うことをガラッとかえるのを、おまえがピシッと言ってくれたおかげで、すっきりしたこともけっこうあるし、思わず拍手してしまったくらい気持ちよかったこともある。すべてに対して情をかけろって言ってるわけじゃないんだ。ただ、小さなことまで正していく必要はないんじゃないかな。取りあえず、十代のうちはいろんなことが許されてるはずだから、この特権を生かさなきゃもったいないだろ」

それに対しても、

「十代の特権なんて、たいそうなものをふりかざすバカがいるから、未成年の犯罪はなくならないんじゃない」

と言い返す。亨は反論するのをあきらめた様子で、まあいっか、と頭をかきながら苦笑した。

今になって、そうなのだろうな、とようやく気付く。

あそびのない人間は、反論をするときに極端な例をあげるのだ。亨は十代の犯罪が許されると言ったのではない。十代には、あそびの部分がおとなよりもたくさんある、ということを教えてくれていたのだ。

待合室にいる人たちは、うるさいな、とは思っても、所詮《しょせん》、眉を少しひそめる程度のことで、本当に迷惑なら、相手は校則通りに制服を着た女の子たちなのだから、自分で注意していたはずだ。うるさいな、と思いながらも、自分にもそんな時期があったなとか、若いっていいなとか、それなりに許してくれていたはずなのだ。もしかすると、もう関わることのなくなった学校という場所で生じるゴシップに、興味を持って耳をそばだてていた人だっていたかもしれない。

みんなはそれを知っていて、わたしだけが知らなかった。当たり前のことを自分で気付く能力がなかったということか。いや、少しくらい正しくないことをしても、世間から許される、とは考えも及ばなかったのだ。許されないことを恐れていたのだから。

許される＝愛される。

わたしの中だけで成立する式だった。愛されるためには、正しいことをしなければならない。喜ばれることをしなければならない。あなたがそこにいるだけでいい。そんな言葉はわたしの人生には登場しなかったのだから……。いや、していた。遠い昔には。わたしが暗闇の中で求めていたものの正体がようやくわかった。

無償の愛、だ。

思い描いていたのが、無償の愛に育《はぐく》まれて成長していたらどんな自分になっていたのか、ということならば、鮮やかな色と香りに包まれた日々、バラやユリが咲き誇る夢の家だった場所に、答えを捜しに出かけよう。

一番古い記憶は三歳頃だろうか。自宅の庭での出来事だ。

田舎町を見下ろす高台にある、白い壁と緑の屋根の小さな家。バラやユリ、季節の花々が咲き誇る庭で、木製の白い椅子《いす》に幼いわたしを座らせて、難しい顔でカンバスに向かう父。油絵の具の匂《にお》い。わたしに向かってカメラを構える母。

「笑って、笑って。おひさまよりも明るく、ね」

そう言いながらわたしに向ける母の笑顔がおひさまのようだな、と感じたことを憶《おぼ》えている。わたしを撮り、父を撮り、庭の花を撮り、母はひとしきりシャッターを切り終えると、白いテーブルにカメラを置いた。父の絵を覗《のぞ》きこんで満足そうに微笑《ほほえ》むと、立ったまま空を仰ぎ、美しい文章を歌うように読み上げる。

――お前の魂に　私の魂が触れないように　私はどうそれを支《ささ》えよう？　どうそれを　お前を超えて　他のものに高めよう？

母の口から文章が途切れると、黙って絵筆を動かしていた父が、カンバスに向かったまま言葉を継いだ。

――ああ　私はそれを暗闇の　なにか失われたものの側《そば》にしまって置きたい　お前の深い心がゆらいでも　ゆるがない　或《あ》る見知らぬ　静かな場所に。

それがリルケの詩だとわかったのは、つい最近になってからだ。

白い椅子に座って、夕焼けを眺めながら父がギターを弾き、隣で母が「小さな木の実」を歌うのを聴いていたこともある。もの悲しいメロディにカラスの鳴き声がかぶり、オレンジ色の空の中へと消えていく。自分も吸い込まれてしまいそうで少し不安になったわたしは、父と母のもとへと駆け寄る。特別に見目麗《みめうるわ》しい夫婦というわけではなかったけれど、わたしの目に映る、夕焼けに照らされた二人の顔は、とても美しかった。

……などと誰かに語れば、正気の沙汰《さた》か、と笑われてしまいそうだ。白馬の王子様を信じる妄想癖の強い女だと心配されるかもしれない。しかし、これはわたしの中にある確かな記憶だ。

もちろん、毎日、二十四時間、こんなふうに過ごしていたわけではない。絵と詩とギターの延長でいけば、朝食にはクロワッサンとカフェオレが登場しそうだけれど、バラの花を飾った食卓にはいつも、ごはんとみそ汁が並んでいた。

鉄工所に勤務する父は、毎朝、グレーの作業服を着てカブにまたがり出勤し、夕方油まみれになって帰ってきた。風呂《ふろ》に入り、シャツとパンツという出《い》で立《た》ちで、三色丼《どんぶり》とハンバーグの登場率がやたらと高い夕食を終えると、テレビの前の赤いビロードのソファに横になり、プロ野球のナイター中継に夢中になる。競馬新聞のチェックも忘れない。

手元にはいつもビールと栄養ドリンクを置いて交互に飲んでいた。茶色い小瓶に入った飲み物が気になって、これは何？　と父に訊《たず》ねると、三口なら飲んでもいい、と瓶を差し出されたことがある。二口飲んだところで、子どもにそんなものを飲ませないで！　とキッチンからとんできた母に瓶を取り上げられる。それからは、父は母の見ていないところでこっそりと、栄養ドリンクを年齢の数口だけ飲ませてくれるようになった。

母は雰囲気的にはおやつにアップルパイを焼きそうだったけれど、ホットケーキ以外の手作りお菓子はあまり得意じゃなかった。慈善団体の人たちが売りに来たクッキーを、情に流されてたんまりと買い込んでしまい、どうにかならないかとごはんのかわりにクッキーの上からカレーをかけ、滅多に怒らない父にぶつぶつと文句を言われたこともある。

日常生活の八割はこんなふうだった。しかし、記憶に残るのは、特別な二割の方なのだろう。

月に二、三日、父はテレビを消して昔の洋楽のレコードをかけ、チョコレートをつまみにウイスキーを飲むことがあった。母とわたしは父の座るソファに寄り添うようにもたれ、温かいココアを飲みながら、一緒にその音楽に耳を傾けていた。大好きだった夜の記憶。吸いかけの煙草《たばこ》から上る煙が、音楽に合わせてゆれるように漂うのをぼんやりと眺めていた頃は、それほど煙草が嫌いではなかった。

日曜日の午後に、「田所食堂」といって、父が母とわたしに軽食を作ってくれることもあった。母はナポリタンスパゲティ、わたしはシーフードピラフが好きだった。チョコレートパフェを初めて食べたのは自分の家だというエピソードは、かなり長いあいだ、わたしの自慢話のひとつとなる。

いや、父のことを思い出すのはやめよう。

他に憶えている二割の側に入りそうなことといえば、洋服だろうか。

母はわたしに背を向け、ミシンに向かっている。カタカタという規則正しい音に合わせてお絵かきをしているわたしを、ちょっとおいで、と呼び、縫いかけの洋服をからだに当てると、かわいいわ、と満足そうにうなずく。母は同じ生地を自分のからだにも当てていた。出来上がった服を、お嫁に持っていってね、とも言っていた。

おそろいの服を着てバスに乗り、おばあちゃんの家に行く。道中、母はこう言った。

「おばあちゃんを喜ばせてあげてね。お元気ですか？　とか、寒くないですか？　とか、おばあちゃんが何を言ってほしいと思っているのか、よく考えるのよ」

「はい、ママ」

わたしはちゃんと返事をする。何を言おうかと、バスに乗っているあいだじゅう考えていた。しかし、母はおばあちゃんに会うと、わたしより先に口を開いた。

「寒くなったけど、おばあちゃん、お風邪をひいていないかなって心配していたのよね。あと、お庭のバラがきれいに咲いたから、おばあちゃんに見に来て欲しいのよね。そうだ、おばあちゃんに編んでもらったセーターを幼稚園に着ていくと、みんなが褒めてくれて、ものすごく嬉《うれ》しかったのよね」

母にそんなことを言った憶えはなかったけれど、訂正はしなかったし、おかしいとも思わなかった。子ども心に、母はわたしからおばあちゃんにこう言って欲しいのだな、ということがよくわかったからだ。

次の回からは、母に促されながらも、自分の口で伝えられるようになった。しかし、わたしがおばあちゃんにかけていた言葉は、おばあちゃんが望む言葉ではなく、母が望む言葉だったはずだ。もちろん、本当に思ったことも伝えていた。

「おばあちゃん、大好き」

そう言ったときのおばあちゃんが一番嬉しそうな顔をしてくれることにも、気付いていた。

「おばあちゃんも、大好きよ」

そう言われると、からだじゅう、手足の先まで喜びが満ちあふれるようだった。手を繋《つな》いでお菓子を買いに行ったり、一緒に折り紙をしたり、おばあちゃんと過ごした幸せな記憶はたくさん残っている。

おばあちゃんから注がれていたのは「無償の愛」だった。自信を持ってそう答えることができる。

でも、母から注がれていたのは……。この頃においても、「無償の愛」だったのだろうか。もちろん、大切にしてもらっていたのは確かだ。しかし、あなたがいるだけでいい、という存在ではなかったのではないか。

例えば、母の頭の中に大切な一枚の絵があるとする。それは、わたしの肖像画ではなく、庭に花の咲き乱れる美しい家で、幸せそうに過ごす親子三人を描いたものではないだろうか。タイトルも「愛能《あた》う限り」とか、「私の天使」とか、「宝物」とか、母が他所《よそ》の人たちにわたしのことを語る際、好んで使っていた、子どもを表現する言葉ではない。「幸せの集う場所」といった家全体を表すもの。もしくは、わたしを人形のように抱いて微笑む、おばあちゃん。

そんなふうに、わたしの存在というのは、母の描く幸せという絵のほんの一部、小道具のようなものに過ぎなかったはずだ。

それでも、充分だった。わたしにも、同じ絵が見えていたのだから。

あの絵の中で過ごせていたら、今頃、こんな暗闇の中にポツリと取り残されることはなかったのかもしれない。夜が明けて、現実が訪れることがあんなにも辛《つら》かったのに、明ける気配がないと、それはそれで、悲しくてたまらない。

だから、幸せな絵の続きを描いてみよう。


小学生になったわたしは、真新しいランドセルを背負って学校に行く。ふざける男子たちを注意するのは同じままだろうけれど、彼らが言うことをきかないからといって、ムキになって声を張り上げることもないし、こんこんとお説教をすることもない。もう、と言って、可愛くほっぺたを膨らますくらいだ。

そして、家に帰って、母の作ったホットケーキと牛乳をおやつにとりながら、学校での出来事を報告する。

「ホントに、男子はひどいんだから」

不機嫌なわたしに、母はニコニコと笑いながら、あら大変だったわね、と言って焼きたてのホットケーキをお皿に載せてくれる。ほかほかと漂うバニラの香りをお腹《なか》いっぱいに吸い込むと、怒っているのもバカバカしく、はちみつとバターをたっぷりかけて頬張るうちに、不愉快な出来事はコロッと忘れて、こう思う。

まあいっか。

それから、週末に友だちを家につれてくる相談などを母に持ちかけるのだろう。何人かの友だちと一緒に、母親が若い男とかけおちした真子《まこ》ちゃんを招待したいと言っても、母がためらうことはない。普通の友だち以上に真子ちゃんをもてなしてくれ、わたしの友だちであることのお礼を、心をこめて言ってくれるのだろう。そして、真子ちゃんが帰ったあと、わたしの頭を撫でながら言ってくれるのだ。

「えらいわね、かわいそうな子に優しくしてあげて」

母は父にも報告し、父はたいしたほめ言葉は口にしないけれど、ごほうびにウイスキーのつまみのチョコレートを一つくれ、栄養ドリンクをいつもより二口多く飲ませてくれる。それから、テレビを消して二人でレコードを聴くのだ。そこに母もやってくる。早く寝なさい、と言われる前に、ソファの上でたぬき寝入りをして、そのうち本当に寝てしまい、父に布団《ふとん》まで運んでもらう。夢か現実か区別のつかないふわふわとした感覚の中で、チョコレートを食べたのに歯を磨いていないことに気付くけれど、ごろんと寝かされて布団をかけてもらいながら、こう思う。

まあいっか。

まあいっか、楽しいもん。まあいっか、幸せだもん。まあいっか、愛されてるもん、とは思わないか。

愛という言葉を使いたがるのは、愛されていない証拠だ。愛していない証拠でもあるのだろうか。

そんなことは、まあいっか。

わたしに欠けているあそびの部分というのは、亨の口ぐせでもあった「まあいっか」だったのだ。

高台に建つ、夢の家の消失とともにわたしが失ったもの。きっと、母も、父も失っていた。だけど、今さらそれに気付いても、もう遅い。すべてを崩壊させたのはわたしだ。

消失した家は元には戻らない。大好きなおばあちゃんはもう戻ってこない。わたしは誰からも愛されない。そんなわたしの人生も、もうすぐ終わる。

想像など、何の救いにもならない――。

＊

いまどこか世界の中で泣いている
理由もなく世界の中で泣いている者は
私を泣いているのだ

いまどこか夜の中で笑っている
理由もなく夜の中で笑っている者は
私を笑っているのだ

いまどこか世界の中を歩いている
理由もなく世界の中を歩いている者は
私に向って歩いているのだ

いまどこか世界の中で死んでゆく

理由もなく世界の中で死んでゆく者は
私をじっと見つめている

第二章　立像の歌

母性について

職場に始業の十五分前に到着し、コーヒーカップを片手に席に着いても、頭の中には今朝の新聞で目にした三面記事のひとつがひっかかったままでいる。喉《のど》の奥に刺さった魚の小骨のようだ。小骨を押し流すような気分で、熱いままのコーヒーを飲み込んでみるが、形のない小骨が形のあるものに流されるはずもない。

女子高生が自宅アパートから転落したという、事故とも自殺とも判明していない事件がこうも気になるのは、同じ県内で生じた出来事だからだろうか。自分が高校教師で、被害者が高校生だからだろうか。いや、そうではない。

小骨の正体は、母親のコメントだ。

職業柄、母親と呼ばれる人たちと接する機会は多い。

高校生の母親、と一括《くく》りにするのは難しく、電話一本を例に挙げても、体調不良による欠席の連絡といった簡単なことから、学校は我が子を根本的に改造してくれる特殊組織だと勘違いしているような的はずれなことまで、母親から語られる用件は様々だ。

熱が出たと伝えればいいだけのものを、昨日の夕方の段階では何度だった、食欲がない、夜はうなされていた、など小児科の医師に伝えるかのようにこまかく病状を説明する母親。あの子はからだが弱くて、と涙声で訴えられると、さて、自分は誰の親と電話をしているのか、と頭の中で考え直すこともしばしばある。

模試の志望校合否判定で、なぜE判定がついているのか、と朝っぱらから訊《き》かれても、お宅のお子さんの学力不足です、とは答えられず、あくまで目安ですのであまり気になさらずに、今後の対策を一緒に考えていきましょう、と始業のチャイムを気にしながら応対する。対策とは、志望校欄に書き込む大学についてのことだ。

こういった母親たちは、鬱陶《うっとう》しいが嫌悪感《けんおかん》を抱いたことはない。子どもを必要以上にかわいがる親バカっぷりにあきれることはあっても、否定をする気にはなれない。

しかし、バカ親は別だ。

バカ親からの用件は九割方、金についてだ。授業料が払えない、実習費がいるなど聞いていない、休ませた遠足の費用はいつ返してくれるのか。電話口で声を張り上げることができるほど、普通に働けるからだを持ちながら、生活保護費を受け取り、その大半をパチンコなどのギャンブルに注ぎ込む。そして、月末になり金が底をついてくると、学校に泣きついたり、脅しをかけたりするのだ。

我が子のためのたった数千円、数百円を、なぜとっておくことができないのだろう。アルバイトをして学費を稼いでいる生徒も複数いる。中には、子どものアルバイト代までも奪い取り、パチンコに注ぎ込む親もいる。こちらが見かねて親としてのあり方をやんわりと問い質《ただ》すと、途端に、自分の不幸話へと話題をすり替える。

子どもなど産むつもりじゃなかった。子どもさえいなければ、もっとらくな暮らしができたのに。そんな、十数年前の事情などこちらの知ったことではない。死んでしまえ、と喉元まで出かかった言葉をのみ込み、世の中にはこういう生き物が蔓延《まんえん》しているのだ、と自分に言い聞かせてあきらめる。

母性、とは何なのだろう。

隣の席の国語教師に辞書を借りて引いてみる。

――女性が、自分の生んだ子を守り育てようとする、母親としての本能的性質。

食事もろくに与えず、子どもから金を奪ってパチンコに通う女にも、この性質が備わっているのだろうか。世間一般には、女、メスには、母性が備わっているのが当然のような扱いをされているが、果たして本当にそうなのだろうか。

生まれつき、とりあえず備わってはいるが、環境により、進化したり退化したりしていくものなのだろうか。

そうではなく、母性など本来は存在せず、女を家庭に縛り付けるために、男が勝手に作り出し、神聖化させたまやかしの性質を表わす言葉にすぎないのではないか。

そのため、社会の中で生きていくに当たり、体裁を取り繕おうとする人間は母性を意識して身につけようとし、取り繕おうとしない人間はそんな言葉の存在すら無視をする。

母性は人間の性質として、生まれつき備わっているものではなく、学習により後から形成されていくものなのかもしれない。なのに、大多数の人たちが、最初から備わっているものと勘違いしているため、母性がないと他者から指摘された母親は、学習能力ではなく人格を否定されたような錯覚に陥り、自分はそんな不完全な人間ではなく、間違いなく母性を持ち合わせているのだと証明するために、必死になり、言葉で補おうとする。

愛能《あた》う限り、大切に育ててきた娘――。

「何調べてんの？　保釈、補習……、ホステス？」

机の上に広げたままの辞書をのぞき込みながら、国語教師が訊《たず》ねてくる。バカ親を陰で、くるくるパー、と呼んでいるところには好感が持てるが、朝っぱらから、くるくるパー、の本質について真剣に語り合いたい相手ではない。

「ポセイドン」適当に答えておく。

「おおっ、ダイナソー！」わけがわからない。

「辞書、ありがとうございます。ああ、そうだ……」

国語教師に辞書を渡しながら、今朝の新聞に載っていた女子高生はどこの学校の生徒か知っているかと、期待せずに訊ねてみる。すると、自分の前任校だ、とあっさり返された。昨晩、元同僚から連絡があったらしい。

「一年生のとき、副担をしていたからね。自殺だったらって学校はヒヤヒヤしてるけど、あの子がそんなことするとは考えられないし、窓に風鈴でも吊《つる》そうとして、落っこちたんじゃないかなあ。何、興味あるの？」

そろそろコートが必要なこの時期に、風鈴というめでたい発想が出てくるような人に、小骨のことを打ち明けても仕方ないとは思うのだが、黙って首を縦に振る。十年先輩のこの人は、ごく稀《まれ》に、重要なことをそうとは気付かず、さらりと口にすることがある。

喉の奥に刺さった小骨は、できるだけ早いうちに取り除いておいた方がいい。化膿《かのう》して、取り返しがつかなくなる前に。

母の手記

前回、私が書いたことを読まれ、神父様は、春の温かい日射《ひざ》しのような家庭を築かれていたのですね、と優しく言ってくださいましたが、「辛《つら》かった出来事こそ、自分を偽ることなく書き記すように」ともおっしゃいました。

このような場合、おそらく、神父様が本当におっしゃりたかったのは後者なのでしょう。

楽しかった頃のことを書きながら、何年かぶりに、春の温かい日射しに包まれたような気分になれたのに、こういうことではないのだと、すべてを否定されたような気持ちになり、ノートを破り捨ててしまいたくなりました。

前回の手記の最後に、ここから先、残酷な出来事が起きると仄《ほの》めかすような書き方をしたのがいけなかったのでしょうか。

私は昔から、作文や読書感想文が得意でした。それは読む人の気持ち、すなわち、母の気持ちを推測しながら書いていたからです。こういうふうに書けば、私の興奮した思いは伝わるだろうか。最後まで気持ちを引きつけることができるだろうか。そのような思いやりから培《つちか》われた書き方が仇《あだ》となるなんて。

いいえ、そんな理由で神父様は書けとおっしゃったのではないことはわかっています。本当に私がそのように解釈しているなら、ここに文章として記していません。あの出来事を書くという行為が、私に大きな動揺を与えていることを、神父様にわかっていただきたいだけなのです。

ああ、胸がつぶれてしまいそうです。

それでも神父様は私に、あの日のことを書けとおっしゃるのでしょうか。あの、心が引き裂かれるような気持ちを、もう一度思い出せというのでしょうか。

そうすることにより、私はどう救われるというのでしょうか。

この手記を書く目的は、私がどれだけ娘に愛情を注いでいたかということを知ってもらうためだ、と認識しています。まずは神父様に。そして、私に非情の目を向ける世の人たちに。

親の愛情の深さなど、誰でも、どこの家庭でも、だいたい同じようなものだと、世の人たちは思っているはずです。そのため、何か大きな出来事が生じた際、自分の乏しい感性と照らし合わせながら想像し、単純でくだらない結論を出そうとするのです。自分が知識人であると思っている人たちに限って、想像力が乏しく、そのうえ自分ではそれに気付こうともせず、ガチガチの頭の中で自分が納得のできる答えを勝手に作り出し、さもそれが正解だと言わんばかりに、恥ずかしげもなく公表するのではないでしょうか。

うんざりです。

想像を超えたところに真実があることなど、思いもつかないのです。それ以前に、想像を超えたところがあることを知らないのです。

だから、私に魔女を見るような目を向けるのです。

誤解なさらないでください。決して、神父様に想像力が欠けていると言っているのではありません。ただ、世の人たちが思いもつかない私たち親子の深いつながりを、的確に表現するためにも、あの出来事をやはり書かなければならないのでしょう。

結婚してから七年、私が三十一歳になったばかりの、秋のことです。

高台の小さな家での生活は、新婚当初と比べれば、夕日を見ながら歌をうたったり、詩を暗唱したりする頻度は下がり、所帯じみてきてはいましたが、それでも庭には花が咲き誇り、玄関先には油絵の具の匂《にお》いが漂っていました。

娘は半年後に小学校に上がる年齢になっていましたが、すでに平仮名も片仮名も書けるようになっていたため、私はよく、おばあちゃん宛《あ》ての手紙を書かせていました。

また、うちにあそびにきてね。締めくくりの言葉はいつも同じでした。もちろん、母に我が家を訪れてほしいという思いは、娘よりも私の方が強く持っていました。

あの頃はまだ景気もよく、田所の勤務する鉄工所は二十四時間体制で機械をフル稼《か》働《どう》させていました。そのため、田所は月の三分の一は、夜勤に出なければなりませんでした。

田所は鉄工所勤めとはいえ、ひょろっとした体型で、泥棒などが家に押し入った際に頼りになるなど想像したこともありませんでした。お酒を飲んで酔いつぶれると、大声で呼んでも、強くゆすっても目を覚まさないので尚更《なおさら》です。

しかし、いざ、田所のいない夜を迎えると、不安で仕方がなかったのです。

何度も戸締まりを確認してから床に就いても、小さな音が聞こえただけで誰かいるのかと心臓が震え、そのたびにカーテンの隙間《すきま》から外を確認していたため、深く寝入ることができませんでした。

特に、我が家は山の麓《ふもと》の高台にあり、家のすぐ裏は雑木林の斜面になっていたため、少し風が吹けば葉擦れの音がしたし、どんぐりの実が屋根の上に落ちてきて、カツンという大きな音を響かせることもあり、夜中でも気を落ち着ける間はなかったのです。どうして、田所の両親はこんな辺鄙《へんぴ》なところに建てられた家を買ったのだろう。普通の住宅地なら、夜でも見知った隣人の気配を感じて安心することができるだろうし、風が吹くたびに目を覚ますこともないのに。

少し前までは、高台から私たち一家だけが町に沈む夕日を独占できることを喜んでいたのに、不安な夜を迎えるたびに、恨み言が徐々に増えていきました。

車の通れる道から狭い路地に入り、そこからさらに斜面沿いの細い階段を上がらなければならないので、車で買い物に出かけても、貸し駐車場から、重い荷物を持って五分ほど歩かなければならないし、路地も階段も雨の日は川のようにザブザブと水が流れているから危ないし、不便なことばかりではないか。

平地に住んでいれば。田所の両親があんなところに家を用意しなければ。

今頃は——。

話が逸《そ》れてしまいました。

とにかく、田所がいない夜は、居間の灯りを消して眠ることも、蒸し暑い夜に網戸にして眠ることもできなかったのです。寝付けずに何度も寝返りを繰り返す横で、娘が安らかな寝息を立てているのを聞くと、親に守られて当然という安心感に包み込まれていることを、うらめしく感じるようにもなりました。

そして、母に打ち明けたのです。

「わたしなんて、もう何年も一人で暮らしているけど、夜中に目が覚めたことなんて一度もないわ」

私の深刻な顔を笑い飛ばすように言われたものの、母は田所が夜勤の日には泊まりにきてくれることになりました。

憂鬱《ゆううつ》だった夜勤の日を示すカレンダーの赤い丸印は、私をワクワクさせるマークへと変わったのです。

母は毎回、夕方四時にやってきました。バス停まで母を迎えに行き、一緒に近くの食料品店で買い物をしてから家に帰り、二人で色違いのおそろいのエプロンをつけて、台所に並んで立ちました。エプロンは私が縫ったもので、母は水色、私はピンク色でした。

夕方五時半に母と私と田所と娘の四人で食卓を囲み、七時に田所を送り出し、九時に娘を寝かしつけたあとは、母と二人きりで過ごせる時間です。おいしい紅茶を淹《い》れ、クッキーなどのお菓子をつまみながら、おしゃべりをして過ごす夜のひとときは、昼間に会うのとは違う柔らかな空気が流れ、私を子どもの頃に戻ったような気分にさせてくれました。

母と私で紡《つむ》ぐ時間……。

母は娘のためにランドセルを買ってくれていたのですが、給食袋や手提げ袋なども、一緒に縫ってくれることになりました。私がミシンがけをし、母が刺繍《ししゅう》をするのです。

「うさぎさんをつけてあげようか？　って聞くと、小鳥さんがいいって。言われてみれば、あの子には小鳥の方が似合うわね」

母はそう言って、紺色地の袋に黄色や水色の小鳥を刺繍していきました。それを見ながら、私は幼い頃の自分の持ち物にも、花や動物などの美しい刺繍が入っていたことを思い出しました。クラスの誰よりも手の込んだ持ち物を、当然のように使っていたけれど、こうやってひと針ごとに母の思いが込められていたことを改めて知り、胸が熱くなったのです。

「わあ、ことりさんだ。おばあちゃん、ありがとう」

翌朝、娘はできあがった給食袋と手提げ袋を見て、声をあげて喜びました。さっそく手にかけて部屋の中をぐるぐると歩きまわり、その後、小学生になるまでちゃんとしまっておかなきゃ、ときれいにたたんで自分の引き出しに片付ける姿を、母は嬉《うれ》しそうに目を細めて眺めていました。それなのに。

「おばあちゃん、ピアノのバッグはキティちゃんにして」

娘は小学校入学と同時にピアノ教室に申し込んでいたのですが、そのバッグを市販のキャラクターのものにして欲しいと母に頼んだのです。ひと針ひと針に思いを込めて刺繡した小鳥の袋を否定したのも同じです。

あれほど、物心ついた頃から人を思いやれる子になるよう躾《しつ》けてきたのに。他ならぬ、私の大切な母を悲しませるようなことを口にするなんて。やはり、田所の血も流れているのだ。

私はずっと自分は母の分身なのだと信じて疑うことなく生きてきました。顔もよく似ているし、考えることも、感じることも同じだったからです。しかし、娘は自分の分身のように思えなかったのです。顔は私や母によく似ているのですが、幼い頃から感性が乏しいというか、情緒が豊かではないというか、田所家の血の方を濃く受け継いでいるような子だったのです。

その場で母に謝らせようかと思ったのですが、ちょうど朝食の支度の最中で、手を離すことができませんでした。

「じゃあ、今度はキティちゃんね」

母がそう言って、娘と笑顔で指切りしているのを見ると、母がいないときに、やっぱり全部小鳥さんがいい、と娘に言わせるように、それとなく誘導した方がいいと思い直しました。

そこに、田所が帰ってきて、皆で食卓を囲みました。

「まあ、とってもいい味」

母が私の料理を褒めてくれます。

四人がけのテーブルには母の席があり、食器棚には母の茶碗《ちゃわん》や汁椀《しるわん》、マグカップが並んでいました。

このまま母と一緒に住めたらいいのに、と心の中で願いました。最後の、本当に最後の、幸せな時間だったのです。


あの年は夏から秋にかけて、おかしな気候でした。

夏場、七月、八月は雨がほとんど降らず、台風も本州に一度もこなかったというのに、秋になった九月末から、次々と上陸するようになったのです。

十月の祝日に植え替えた庭の花壇のパンジーの苗が、その週末の雨で流されて残念な思いをしたのですが、テレビで台風の被害に遭った地域のニュースを見ながら、この辺りは台風の通り道になることはないのだから、花の苗くらいで愚痴を言ってはいけないと反省し、また新しい苗を買いに行きました。

花屋に行くと、新色も入荷しており、どの色も捨てがたく十色全部買って帰り、花壇に収まりきらずに苦戦しているのを田所に苦笑いされたあと、母に黄とオレンジと紫の三色を引き取ってもらいました。

それが、私から母への最後の贈り物になってしまったのです。

十月二十四日は午前中からポツポツと雨が降っていました。

夕方から激しく降るようだから少し早めに行く、と母から電話が入ったので、二時過ぎにバス停に迎えに行き、停電に備えて、ろうそくとパンと缶詰を買ってから家に戻りました。

居間のテレビを点《つ》けると、台風情報が流れていました。本州全体を秋雨前線が覆《おお》っており、前線沿いに強い勢力の台風が進行しているため、夜から明け方にかけてかなり雨が降るでしょう、とニュースキャスターが言うのを聞きながら、またパンジーが流されてしまうかもしれない、と心配になりました。パンジーなどどうでもよく、もっと注意しなければならないことがあったのに。

天気予報の最中に、他に気になることが起きてしまったのです。

午前中に幼稚園から帰ってきていた娘は、おばあちゃんからもらったプレゼントにおおはしゃぎでした。小鳥の刺繡の入ったバッグとキティちゃんの筆箱です。

ピアノのバッグも全部小鳥さんで揃《そろ》っていたら、みんなから小鳥さんが好きなんだなってわかってもらえて、お誕生日にも小鳥さんの絵がついたものをプレゼントしてもらえるんじゃないかしら。

そんなふうに娘を誘導し、電話で「やっぱり、ことりさんがいいなあ」と言わせたのに、母は気を遣って、バッグだけでなく、娘が最初に欲しがったキャラクターの文房具も買ってきてくれたのです。

「気を遣わせてごめんね」

母に謝ると、母は笑って答えました。

「何遠慮してるの。たった一人の宝物じゃない」

宝物。聞き慣れた言葉のはずなのに、そのときの私はふと疑問を抱いたのです。

これは私のことなのか、娘のことなのか。

そして、その間にニュースキャスターは洪水や土砂災害の注意を促していたはずなのです。

三時過ぎに起きた田所は窓の外を見て、酷《ひど》くなりそうだな、と少し早めに出勤することを決めました。夕食は弁当箱に詰め、五時に、今日は車で行くよ、と言って家を出ていきました。

母と私と娘の三人で夕食を取り、母と娘が先に風呂《ふろ》に入り、続いて私が入り、停電になったのはその直後、八時過ぎでした。

台所と居間のテーブル、二箇所に小皿を置き、ろうそくを立て、灯りをともしました。

窓に打ち付ける雨と風の音で、大型の台風がかなり接近していることがわかりました。しかし、母と一緒にオレンジ色の灯りに包まれていると、何も怖いことはなく、早く寝て、朝になれば青空が広がっているだろうと、台風が過ぎ去ったあとの澄み切った空を思い浮かべることもできました。

小さな家に客間などなく、母の布団《ふとん》は居間の奥にある、私の嫁入り道具の箪笥《たんす》を並べた四畳半の部屋に敷いていました。田所の家に対して恥ずかしくないように、と母が選んでくれた洋箪笥と和箪笥は、重厚な作りをしており、部屋の三分の一を塞《ふさ》いでいました。

私と娘の布団は、寝室に並べて敷いていました。この部屋も四畳半で、私の鏡台も置いているため、田所の布団と三つ並べて敷くと、足の踏み場がなくなってしまうくらいでした。

田所の両親が私たちをずっとここに住まわせるつもりではないことには、結婚当初から薄々感づいていました。特に、娘が小学校に上がる年齢に近付いてからは、きりのいいところで帰ってきてはどうか、といったことを田所を通じて遠回しに言われるようにもなっていました。

田所の親と同居だなんて、想像するだけで憂鬱になりました。一緒に住んでも、私ならちゃんとやっていけるという自信はありましたが、母と頻繁に会えなくなることが嫌だったのです。

田所の義母が、大学生になるまで使える立派な学習机を買ってやるのだ、とはりきっていましたが、あまり大きなものを選ばれても、置き場に困ります。しかし、そんなふうに家が狭いと愚痴をもらすと、やはり同居した方がいい、と言われるに違いないと、自分なりに工夫して片付けたり、あまり物を買わないように心がけたりしていました。

母は狭い部屋で寝ることに対し、何も言いませんでした。六歳になったばかりの娘が布団に潜り込んできてもです。娘は、寝しなは自分の布団に入るものの、気が付けば、枕《まくら》だけを持って箪笥部屋に行き、母の布団に潜り込んでいました。

「おばあちゃんとねたら、あったかいからすき」

そういった季節でなくても、娘はとろけるような顔をして、いつも同じことを言っていました。

私も母の布団に潜り込むのが好きでした。からだのどこか一部が母とくっついていると、そこから母の体温が伝わり、安心して眠ることができるのです。

自分が子どもの頃に言っていたのと同じ言葉を娘の口から聞くと、うらやましくなりましたが、私はもうさすがに、母の布団に潜り込むことはできません。せめて隣に並べて布団を敷ければよかったのですが、部屋の広さを考えると、それも無理でした。

三人で寝られるように、寝室の、いつもは田所の布団を敷く場所に、母の布団を敷こうとしたこともありましたが、それは母に窘《たしな》められました。

「明け方、哲史さんが疲れて帰ってきて、横になりたいと思っているところに、わたしが寝ているなんて失礼じゃない。食卓の席と同様、家の中にはそれぞれの決まった場所があるんだから、寝室も、当人がいなくても場所はちゃんとあけておかなきゃ。こうやってしょっちゅう来させてもらってることがありがたいんだから、ね」

田所は母がおいしい料理を作ってくれても、気の利《き》いた言葉も感謝の気持ちも、まったく口にせず、私を心底がっかりさせていましたが、世間の夫によくありがちな、妻の母親が家を訪れることを嫌がるそぶりは見せませんでした。

それどころか、今度はいつくるの？　と私に訊《たず》ね、普段自分で買うことのないケーキを片手に、いつもより早く帰ってくることもあったくらいです。母が常に田所を盛り立ててくれていたからだと思います。私以上に、田所の義母以上に、母は彼を高く評価していたはずです。それを田所もわかっていたのでしょう。

母の言うように、田所は朝七時頃に夜勤から帰ってくると、食事も風呂もまずおいて一寝入りすることが多かったので、いつもと同じ場所はあけておくことになりました。

そういったいきさつで、私だけ別の部屋で寝ていたのです。

あのときも……。

ろうそくの灯りを消して、布団に入り、目を閉じると、雨音が尋常ではないことに気付きました。風の音をかき消すほどの勢いでした。鉄工所は海の近くにあるけれど大丈夫だろうか、と思わず私が田所の心配をしてしまったほどです。川は氾濫《はんらん》していないだろうか、平地にある家は大丈夫だろうか、とテレビのニュースで見た床上浸水した家の映像が頭の中に浮かんできました。

そのままずっと目を閉じ、次に目を開けたときには、雨脚が徐々にではあるけれど、弱まってきていることがわかりました。雨音が小さくなるにつれ、違う音、ビーンといった高い音が聞こえてきました。虫の羽音のように耳の奥で振動する音を、初めは耳鳴りかと勘違いしました。が、雨音が止《や》むと、ビーンという音は私の頭の中ではなく、外から、それも少し距離があるところから響いていることがわかりました。

何の音だろう。サイレンでもない。でも、聞き覚えはある。

自動車のクラクションの音だと気付きました。すぐにわからなかったのは、普段耳にするクラクションの音は、ビッビッ、と数回鳴らすだけの短いものですが、聞こえているのはずっと押しっぱなしの音だったからです。しかも、鳴っているのは一台だけではありませんでした。

数十台、数百台、町中の自動車が悲鳴を上げているようでした。こんな時間に渋滞など起こるはずもなく、真っ暗な町で何が起きているのだろうかと不安になりました。いつまで続くのだろう。どうして誰も止めないのだろう。いや、離れた場所にいる自分がこんなにも不安にさせられるのだから、あの音の中にいる人たちは気がおかしくなりそうになっているに違いない。

あとからわかったことですが、クラクションが鳴り続けていたのは、川が氾濫し、町中の車が浸水したためでした。

遠い場所から響くクラクションの音にイライラする気持ちを募らせていると、突然、今度はゴーッという音が、すぐ近くから地面を突き上げ、覆いかぶさるように降ってきました。

家全体が大きく揺れたのを感じ、もしや！　とからだを起こしたのと、メリッと家が軋《きし》む音がしたのと同時でした。

裏山が崩れ、土砂が押し寄せてきたのです。

ドカン、と大きく重いものが倒れる音が響き、

「ママ！」

娘のくぐもった声が聞こえました。

電気のひもを引っ張りましたが、灯りはともりませんでした。手探りで真っ暗な寝室を出て、台所のテーブルのろうそくに火をともしました。続いて、居間のテーブルのろうそくに火をともすと、簞笥部屋へ続く襖戸《ふすまど》の横柱がゆがんでいるのがわかりました。

家が押しつぶされている。

襖に手をかけましたが、開けることができませんでした。

「お母さん、大丈夫？」

襖ごしに呼びかけましたが、返事はありません。かすかに、母のうめき声が聞こえました。

母の身に何が起きているのか。私は助走をつけて体当たりを繰り返し、襖を破り開けました。薄灯りの中、向こうに見えたのは、倒れた箪笥です。山側の壁が崩れ、和箪笥と洋箪笥、ともに並んで倒れていたのです。

「お母さん！」

私は襖の破れた箇所から、部屋に飛び込みました。後ろからカタンと小さな音が聞こえたけれど、それどころではありませんでした。

「お母さん、どこ？」

声を張り上げると、ここよ……、と力ない母の声が、洋箪笥の下から聞こえてきました。目を凝らしてよく見ると、和箪笥は全部倒れていましたが、洋箪笥は倒れきっていませんでした。

和箪笥と手前の壁のわずかな隙間から部屋の奥へと進むと、暗闇《くらやみ》に慣れた目に、洋箪笥の下にうつ伏せになった母の頭が映りました。あいだに布団がはさまっているものの、重厚な箪笥は母の背中にのしかかっていたのです。そのうえ、箪笥の下の方は壊れた壁と粘土のような土砂で埋まっていました。

震えとともに、声にならない悲鳴がからだの奥から突き上げました。

洋箪笥のへりに両手をかけ、渾身《こんしん》の力を込めて持ち上げましたが、びくともしません。

「わたしはいいから、この子を……」

母がうつぶせの状態のまま言いました。箪笥の下をのぞき込むと、奥の方に布団をかぶった娘の頭も見えました。

「ママ、助けて」

涙混じりのくぐもった声が聞こえました。一人ずつ助け出すと、残った方がさらに加重されてしまいます。

「待ってて、人を呼んでくるから」

そう言って、居間に出た私の目に、炎のかたまりが飛び込んできました。居間のソファが燃え上がっていたのです。火はカーテンにも燃え移っていました。呆然《ぼうぜん》と立ちつくす私の目の前で、炎はどんどん大きな塊となっていきました。助けを呼びに出ている間に、家中が飲み込まれてしまいそうな勢いです。

我が家に消火器はありませんでした。台所で洗いおけに水をくみ、それをかければどうにかなるという段階ではありませんでした。家の外は雨に打たれ続けていたはずなのに、火は容赦なく広がっていきます。

「間に合わない、早く」

煙の臭《にお》いに、母も家が燃えていることに気付いたのでしょう。押しつぶされた胸から出せる限りの声を張り上げました。

私は箪笥部屋に戻り、洋箪笥の下に両手を伸ばし、母の両腕をつかみました。

「わたしじゃない」

母はさらに声を張り上げて言いました。

「何で？　何でよ」

「あなたが助けなきゃならないのは、わたしじゃないでしょ」

「お母さんは私の一番大切な人なのよ。私を産んで育ててくれた人なのよ」

一瞬のうちに、私の頭の中に、母とすごした日々が溢《あふ》れかえっていきました。

「バカなことを言わないで。あなたはもう子どもじゃない。母親なの」

「イヤよ、私はお母さんの娘よ」

母を失いたくない、ただそれだけでした。

私は母の腕を力一杯引っ張りました。しかし、ようやく十センチほど前に出てきただけです。脇《わき》の下に手を入れ直し、さらに強く引っ張ると、今度は十五センチほど出てきました。

「やめて。やめなさい。どうしてお母さんの言うことがわからないの。親なら子どもを助けなさい」

箪笥の下からようやく出た頭を持ち上げ、母は私を見つめて言いました。

子ども……。火を見て冷静さを失っていた私は、母の目を見てようやく我に返り、そこで改めて、娘の存在を思い出したのです。

そうだ、この下に娘もいるのだ。

それでも、私は母から手を離すことはできませんでした。

背後に熱を感じました。ジリジリという音も聞こえてきます。

「イヤよ、イヤ。私はお母さんを助けたいの。子どもなんてまた産めるじゃない」

私は何か間違ったことを書いているでしょうか。

二人助けることができるなら、もちろんそうしています。

一人しか助けられない状況で、自分を産んでくれた者を助けるのか、自分が産んだ者を助けるのか。この決断を下すのに、私がどんなに身を引き裂かれる思いをしたかなど、誰にも想像できるはずがありません。

　未来ある者を残すべきだとか、母親なら子どもを選ぶのが当然だとか、お茶を飲みながらの机上の空論などまっぴらです。そんな人はきっと、どちらも助けずに、逃げ出すのでしょうけれど。

　涙を滴《したた》らせ、髪を振り乱し、首を振るあいだにも、炎は家中のものをつぎつぎと飲み込んでいき、ついに私が突き破った襖に燃え移りました。炎に照らされ、母の顔が鮮明に見えました。

　だからこそ、私は母の手を離すことはできませんでした。

「お願い、お母さんの言うことを聞いて。わたしは自分が助かるよりも、自分の命が未来に繋《つな》がっていく方が嬉しいの。だから」

　母の目から涙が溢れ、頬を伝いました。

「イヤ！」

　母の声をかき消すように、声を張り上げました。その声すら飲み込むように、炎はごうごうと音をたてて迫り、和箪笥に襲いかかりました。

「あなたを産んで、お母さんは本当に幸せだった。ありがとう、ね。あなたの愛を今度はあの子に、愛能《あた》う限り、大切に育ててあげて」

母の最期《さいご》の言葉でした。

ああ、神父様――。

無我夢中だったため、その後の記憶は曖昧《あいまい》なのですが、熱と煙が充満する中、箪笥の下から娘を助け出し、抱きかかえて炎の中を突き進み、外に出たのではないかと思います。

母のからだを置き去りにして。棺《ひつぎ》に入れ、花を飾ってあげることもできませんでした。

田所が帰ってきたのはそれからすぐあとだったはずです。母を救出するため、ごうごうと炎を上げる家の中に私が飛び込んでいこうとしている、とでも勘違いしたのか、油臭い腕に後ろからはがい締めにされていた感触を覚えています。

母の命と引き替えに娘が助かったことを知っているのは、私だけです。

愛能う限り……、答えがわかりました。

私が娘を大切に育てたのは、それが母の最期の願いだったからです。

その私が、娘の命など、この手で奪えるはずがないではありませんか。

娘の回想

美しい家族の絵は、炎により焼き払われた。バラやユリの咲き誇る夢の家の消失は、おばあちゃんとの永遠の別れでもあった。

たった一人、わたしに「無償の愛」を注いでくれた人。

おばあちゃんからの最後の贈り物は、小鳥の刺繡《ししゅう》が入ったバッグとキティちゃんの筆箱だった。本当はバッグにキティちゃんの刺繡をして欲しかったのだけど、母に全部小鳥の方がいいと勧められ、それをおばあちゃんに伝えたのだ。

すると、おばあちゃんはバッグと一緒に、キティちゃんの筆箱をプレゼントしてくれた。あのときは嬉《うれ》しかったけれど、今になってふと思う。

おばあちゃんはわたしがおばあちゃんの手作りの品ではなく、既製品を欲しがっていると勘違いしたのではないだろうか。もしそうならば、おばあちゃんはがっかりしなかっただろうか。そんなことはこれっぽっちも思っていなかったのに。刺繡が得意なおばあちゃんに、世界でたった一つの品を作ってもらえることが嬉しくてたまらなかったのに。

でも、今さら後悔しても手遅れだ。そんな不確かなことで思い悩むよりも、楽しかったことを思い出そう。

折り紙、お絵かき、人形遊び。買い物に行くと、計算ができるのね、と褒めてくれ、手紙を書くと、字が上手になったわね、と褒めてくれた。

優しく頭を撫《な》でてくれた温かい手。無色無臭の思い出の世界に時折、色や香りが伴うように、おばあちゃんの思い出には温度が伴ってくる。

頭を撫でられたり、手を繋《つな》いだり、おばあちゃんの温度の記憶はたくさん残っているけれど、一番好きだったのは、おばあちゃんの布団《ふとん》に潜り込んだときの温かさだ。

普段は、布団に入ってもなかなか眠れないのに、おばあちゃんの布団に潜り込み、温かさに包まれると、ふっと魂が抜けるように眠りの世界に誘われていった。

おばあちゃんはどんなときでも、優しくわたしを迎えてくれた。冬場、風呂《ふろ》上がりを裸足《はだし》で過ごし、キンキンに冷えた足で潜り込んでも、

「冷たい、冷たい、今あったためてあげるからね」

そう言って、わたしの足を挟み込み……。だから、中谷亭を好きになったのだ。

どうして、また、亨が出てくるのだろう。あれもまた、温度の記憶だからだろうか。暗闇《くらやみ》の中で振り返る人生は、時系列通りに進まないらしい。

高校一年生のときのことだ。

十一月に行われた野外合宿の部屋わけは、男女別になっていたはずなのに、ほんの数人の幸せカップルと、大多数の浮き足だった子たちのせいで、そのどちらにも属さないわたしまで、狭いバンガローに男女入り乱れて寝ることになってしまった。しかも、わたしは女三人男三人の境界だった。何かの策略が働いていたわけでなく、わたしの隣で寝る予定だった女子三名が抜け出し、かわりに中谷亨、他男子二名がやってきたというだけだ。

亨は、不快感を抱くことはないけれど、隣にいるとドキドキして眠れない、という存在でもなかった。同じクラスだけど、ほとんど会話をしたことがなく、出身中学も違うため、彼がどんな人なのかもよくわからなかった。陸上部だとは知っていても、何の種目をしていたかは知らない。そんな感じだ。まあ、追い出される男子というのは、そんなもんだろう。出て行くあてのない女子も、そんなもんだけど。

山奥の合宿所は、昼間は暖かかったのに、夜はバンガロー内でも吐く息が白くなるほど冷え込んだ。本来なら五月にするはずだったものが延期になってしまったのは、季節外れの流行病《はやりやまい》のせいだった。

「へんなことしたら、みんなにバラすからね」

「するか、そんなこと」

電気を消したあと、どうやっても触れ合うことがないだろう、端っこ同士の男女が牽制《けんせい》しあいながら、六人同時に布団に入った。

しかし、しめっぽくて重い掛け布団一枚では、寒くて寝付くことができない。眠れないことには慣れていた。ぼんやりと子どもの頃のことを思い出しながら、布団を巻き込むように寝返りをうつと、右足がガッッとかたいものにぶつかった。

隣の布団からはみ出した、中谷亭の足だった。

「ごめん」

とっさに謝ってしまったのは、わたしの足が自分でもわかるほどキンキンに冷えていたからだ。返事はなかった。起こしてしまわなくてよかった、とほっとしながらまっすぐ仰向けになり、目を閉じた。その瞬間だった。布団の中に二本の足が入ってきたのは。

おばあちゃん。

一瞬、おばあちゃんの足を思ったけれど、感触はまるで違った。ごつごつと骨張っている。けれど温かい足先が、わたしの両足を絡《から》め取り、はさみこんだ。

驚いて目を開け、足の入ってきた方を見ると、薄明かりの中、こちらに向いた亨の顔があり、目を閉じて規則正しい呼吸を繰り返していた。寝ぼけているのかもしれない。わたしの足が温まる前に、亨の足が冷えてしまうのが申し訳なく、ゆっくりと足を抜こうとしたら、動かせないくらいにぐっと力を込められた。

仕方なく、そのまま目を閉じると、足先からからだ全体がぽかぽかと温まり、明け方まで一度も目を覚ますことなく、熟睡することができた。イヤな夢も見ていない。皆が起き出す前にと、そっと足を抜いたけれど、強くはさみ込まれることはもうなかった。

気持ちよさそうに寝ている横顔を見ながら、めがねをはずした方が少しかっこいいな、と思ってしまい、バカじゃないか、とあわてて布団をかぶった。

亨が起きたらどんな態度を取ればいいだろう、謝った方がいいだろうか、お礼を言った方がいいだろうか、気付かなかったフリをしてみようか、などと真剣に考えていると、本来、この部屋で寝るはずだった子たちが戻ってきて、そろそろ見回りだ、と亨や他の男子を起こしてバンガローからたたき出してしまった。

亨とつき合うようになったのは、それから二週間後だ。

言ってくれたのは亨の方だけど、彼も野外合宿まではわたしのことをまったく意識していなかったらしい。

放課後、英語研究部の部室の前でひと目をはばかるように栄養ドリンクを飲んでいるのを偶然見かけ、少し気になっていたくらい。いきなりバンガローにやってきた女子たちに追い出され、たまたま隣で寝ることになっただけ。なのに、突然当たった足がやたらと冷たく、どうにかしてやった方がいいのではないかと、とっさに足を出してしまい、そのままからめて寝ているうちに、なんだかすっかり自分の彼女のような気分になったとか。

付き合おう、と言われてそのまま頷《うなず》いてしまったのは、亨が何気なくとった行動が、わたしの一番幸せな記憶とたまたま一致したからなのか。それとももっと単純に、わたしの方を見てくれる人を求めていたからなのか。

「じゃあ、これからは、お互い下の名前で呼び合おう」

亨は最初にそう提案した。わりと仲の良い女子でさえ、わたしのことを「田所さん」と呼ぶのを知っていて、気を遣ってくれたのだろう。そういうところもおばあちゃんに似ていたのかもしれない。だけど、わたしはそれを断った。誰も呼ばないその名前が、自分のもののように思えなかったからだ。

代わりに亨はわたしを「ピーすけ」と呼ぶことにした。昔飼っていた文鳥の名前で、どことなくわたしに似ていたらしい。オスではないかと不満はあったけれど、却下はしなかった。

「なんだ、鳥っぽいこと、自覚してんじゃん」

筆記用具やハンカチなど、わたしの持ち物に小鳥の絵がついたものが多いことに気付くと、誕生日に小鳥の絵のついた小さな鏡をプレゼントしてくれた。シンプルでかわいらしい絵柄が気に入り、他のグッズもあればと、どこで買ったのかを訊《たず》ねると、無地の木枠のついた鏡にアクリル絵の具を使って、自分で描いたのだと打ち明けられた。あどけない表情や羽の色の繊細な色遣いなど、完成度の高さに、わたしは中学では美術部だったことを打ち明けられずじまいだ。

それ以来、彼はちょくちょくわたしの持ち物に小鳥の絵を描いてくれた。

確か、鏡はポケットに入っているんじゃないだろうか。

取り出してみたいけど、からだはまったく動かない。多分、わたしのからだはとても冷たくなっているはずだ。

亨に二度目に足を温めてもらったとき、おばあちゃんとの思い出を少しだけ話した。

んでいたことを。小学校に上がる前に亡《な》くなったことを先に告げ、小鳥の刺繍のことや、布団に潜り込

「ナイス、ばあちゃん。会ってみたかったな」

自分とおばあちゃんを重ねられたことを嫌がるかと思ったのに、亨はそう返してきた。

それがたまらなく嬉しかったけど、おばあちゃんの最期《さいご》のことは話していない。

誰にも、話したことはない。

幸せの終わりを、思い出したくないから黙っていたのに、頭の中にはすでに激しい雨音が響き出している。

音。あの日の記憶に伴うのは、音だ。

大好きなおばあちゃんとの別れは、ある日、突然訪れた。

わたしが六歳のとき、小学校に上がるほんの半年ほど前のことだ。

当時、鉄工所に勤めていた父は夜勤に出ることが多く、父がいない日はおばあちゃんがよく家に泊まりに来てくれていた。わたしがおばあちゃんに手紙を書く際、母は、またうちに遊びにきてね、と書くよう勧めていたけれど、そんなことをされなくても

書いていただろう。

夢の家での父と母は、けんかや言い争いをすることはなかったし、詩を暗唱したり歌をうたったりする姿は美しく、幸せそうにも見えたけど、笑顔を見せることはほとんどなかった。そんな二人が、おばあちゃんを前にすると笑みを浮かべるのだ。

父は親しい関係でなければ笑っていると気付かないような笑みを、母は輝くような笑みを、おばあちゃんの何気ないひと言で浮かべていた。きっと、わたし自身もそうだったはずだ。

それは、おばあちゃんがいつも穏やかで柔らかい笑みを浮かべているからだと思っていた。

夢の家で母は、人の顔は鏡なのだ、とわたしによく言っていた。おばあちゃんからの受け売りらしいけど、だからおばあちゃんがいるとみんな笑顔になるんだ、と子ども心に納得もできていた。相手が笑顔なら、こちらも笑顔になり、相手が怒り顔なら、こちらも怒り顔になる。

しかし、田所家の人たちにより、この理屈は覆《くつがえ》されてしまう。あの人たちはこちらが笑えば不機嫌になり、こちらが疲弊して表情を失っていくごとに、いきいきと顔を輝かせていたのだから。

やはり、おばあちゃんは特別な人だったのだ。

父にとって、わたしにとって、そして誰よりも、母にとって。

おばあちゃんの死は当時の新聞に掲載された。季節外れの台風による土砂災害が原因で亡くなったからだ。その台風が二十年に一度と言われる規模の大型台風だったことは新聞で知った。その言葉に違和感をまったく憶《おぼ》えないほどに、記憶の中の雨も風も激しいものだった。

その日、おばあちゃんはいつもより早い時間にやってくることになった。母と一緒にバス停までおばあちゃんを迎えに出て、そのまま買い物に行くのを楽しみにしていたのに、その日は雨が降っていたため、階段で転んだらあぶないからと、わたしは寝室で寝ている父と留守番をさせられた。

早くおばあちゃんが来ないかと、窓から外をずっと見ていると、黒い雨雲が少しずつ小さな町全体を覆《おお》っていくのがわかり、あれがうちまで来る前に早く来て、と祈るような気持ちでギュッと目を閉じた。そこにおばあちゃんがやってきて、わたしは玄関まで駆け出し、思い切り飛びついた。

おばあちゃんはお土産を持ってきてくれていた。小鳥のバッグとキティちゃんの筆箱だ。その日の贈り物が特別だったわけではないのに、胸がドキドキするほど嬉しくて、バッグを手にかけ、スキップで部屋中をぐるぐると回ったのを憶えている。

今思えば、わたしをドキドキさせていたのは、迫り来る黒い雨雲だったのではないか。一人で受け止めるのは怖いけれど、大好きな人と一緒ならワクワクするものに変わる。そんな心境だったのかもしれない。

母とおばあちゃんが買ってきた、ろうそくや缶詰にも非日常を感じて少し興奮したはずだ。いつもは夕食をとってから出勤する父は、その日は早めに出ると言い、母が弁当を作る隣でバランを敷いたり、ごはんに梅干しをのせたりと一緒に手伝った。父を少し早く送り出し、少し早めに夕食をとり、少し早めに風呂に入る。いつもとほんの少し違うだけなのに、その少しの違いのせいで、あの日のことを鮮明に思い出すことができる。

停電になったのは、母が風呂から上がった直後だ。母によって、最初に台所、次に居間にろうそくがともされた。暗闇の中にともされたオレンジ色の光の中で、わたしは怖くもないのに、怖いねえ、と言っておばあちゃんの腕にしがみついた。大丈夫よ、とおばあちゃんに抱き寄せられることは、子ども心に予想できていたのだろう。

だから、その日は最初からおばあちゃんの布団に潜り込んだ。

わたしの布団は寝室に母の分と一緒に敷かれていたけれど、おばあちゃんが泊まりに来てくれた日は、最初は自分の布団に入るものの、頃合いを見計らっては、狭い簞《たん》笥《す》部屋に敷いたおばあちゃんの布団に、毎回、潜り込んでいた。

「来年から小学生になるんだから、ちゃんと一人で寝なさい」

家の外で激しい風雨の音が鳴り響き、停電になっていても、母はいつもと同様にわたしを咎《とが》めた。しかし、そんなのはおかまいなしだ。おばあちゃんはいつも優しく庇《かば》ってくれるのだから。

「小学生になったら、がんばりましょうね」

ランドセルはひと月前、新商品が出ると同時に買ってもらっていた。

まだ寒いというには早い時期だったけれど、その日は、布団に潜り込むなりおばあちゃんにしがみつき、おばあちゃんはわたしの足をはさんでくれたため、わたしは布団に潜るような格好で寝ていた。

明け方、新聞には午前五時過ぎと載っていた。まだ熟睡していたわたしにとっては真夜中の感覚だ。夢の中で、ゴゴゴ……と山が唸《うな》るような音がして、ハッと目が覚めた。

それから、メリメリという音がすぐ近くで響き、床が揺れ、おばあちゃんが、外に……、と言って起き上がろうとした瞬間、簞笥が二つ、続けざまに倒れてきた。戸口に近い和箪笥はズシンと音を立てて倒れ、洋箪笥は途中で止まった。おばあちゃんの背が箪笥を受けていたのだ。わたしの背中は箪笥の重みは受けていなかったものの、おばあちゃんと箪笥の隙間《すきま》で、布団が被《かぶ》さったまま身動きが取れなくなっていた。

「おばあちゃん、大丈夫？」

問いかけに答えはなく、わずかにうめき声が聞こえた。

「ママ！」

必死の思いで母を呼んだ。

近くの音は止まっているのに、遠くの方からかすかに、ビーという、壊れたおもちゃから流れ続けるような電子音が聞こえてきて、自分の声はこの音にかき消されているのではないかと、怖《おそ》ろしく、不安になった。

しばらくして、襖《ふすま》に体当たりする音が聞こえ、母が箪笥部屋にやってきたのがわかった。箪笥の奥に入り込み、布団をかぶっていたわたしには、母の気配しかわからず、話し声もよく聞き取れなかったけれど、母が必死でおばあちゃんを救助しようとしている様子は感じることができた。

母の手が伸びてきて、おばあちゃんの腕をつかみ、強く引っ張った。しかし、おばあちゃんのからだはほんの少しだけしか動かない。早く、早くおばあちゃんを助けて。祈るような気持ちでいると、ふと、焦《こ》げ臭いにおいがした。火事だ。そう認識した瞬間、からだが震え、息苦しくなり、意識が途切れ途切れになった。

朦朧《もうろう》とした頭の中で、母とおばあちゃんの声が聞こえた。二人ともだんだんと声は大きくなっていたけれど、母とか、娘とか、わたしの頭の中には単語がわずかに入ってくるだけで、内容はよくわからない。話してないで、早く……。わたしの思いは声にはならず、頭の中ではじけて消えた。

その直後、母の悲鳴が響いた。

おばあちゃんが息を引き取った瞬間ではないだろうか。

おばあちゃん……。

しばらくして、油の臭《にお》いのする腕が箪笥の下に伸びてきて、わたしは引っ張り出された。部屋中に充満していた煙を一気に吸い込んでしまい、完全に意識が途切れてしまったため、おばあちゃんの最期の姿を見ることはできなかった。

おばあちゃんの死因は「圧死」だと思い込んでいたのに、父方の祖父母たちは「焼死」と言っていた。正確には、焼け死んだ、だけど。父と母は死因についてはまったく口にしなかった。それどころか、あの日の出来事について、夢の家そのものが封印されたかのように、二人の口から語られることはなかった。

夢の家を恋しく思うあまり、中学生のときに一度、新聞を調べたことがある。新聞には、「土砂災害を受けた直後にろうそくの火が家具に燃え移り」と台風と火事、両方の被害について書いてあったけれど、おばあちゃんの死の原因については書かれていなかった。

それは、母にとっては唯一《ゆいいつ》の救いだったのかもしれない。事故とはいえ、ろうそくに火を付けたのは母だったのだから。触れてはならないことなのだ、そんなことを考えながら、わたしもまた、夢の家での思い出を胸の奥底に封印した。

かけがえのない人の死。わたしに「無償の愛」を与えてくれた人。

小学生になったら、がんばりましょうね。

これが、おばあちゃんからわたしへの最後の言葉、この世でたった一人、わたしを愛してくれた人との別れ、夢の家を失った真相……、のはずだった。

あのとき、わたしが死んでいればよかったのではないか。死因が土砂災害や火事であるほうが、わたしの人生は救われる。

母から殺したいほど憎まれる、というよりは。

*

自分のいとしい生命《いのち》をふりすてるほど
私を愛してくれるのは誰だろう？
私のために海に溺《おぼ》れて死ぬ者があれば
そのとき私は石から解放されて
また生命《いのち》へ　生命へ立ち帰ってゆくのだ

私はそんなにも騒《ざわ》めく血に憧《あこが》れている
石はあまりにも静かだ
私は生命《いのち》を夢みる　生きることは楽しい
誰も私をよみがえらせてくれるための
勇気をもつ者はいないのだろうか？

だが　もしも私にもっとも貴重なものを与えてくれる

生命《いのち》のなかに　いつか私が甦《よみが》えるならば……
……そのとき私は孤《ひと》りで泣くだろう
私の石を求めて泣くだろう
私の血が　たとえ葡萄酒《ぶどうしゅ》のように熟《う》れたところで　なんの役にたとう？
それは私をいちばん愛してくれた者を
海のなかから呼びもどすことはできないのだ

第三章　嘆き

母性について

せっかくだから晩飯でも食いながら話そう。

隣の席の国語教師にそう言われ、〈りっちゃん〉という店に案内した。

「おいおい、たこ焼き屋か？　いくら給料日前だからって、ちょっとケチりすぎだろ。それに、俺はいくらそっちが用があるからって、後輩におごってもらおうなんて思っちゃいない」

「見た目で判断しちゃいけませんよ。昼間は看板通り、主婦や学生に人気のたこ焼き屋ですけど、夜はちょっと名の知れた飲み屋になるんです。たこ焼き以外の料理もあるけど、この匂《にお》いをかいだら食べないわけにはいかないでしょう。ビールと合いますよ」

そう言って、先に暖簾《のれん》をくぐる。千枚通しを片手に、丸いくぼみの並ぶ鉄板の前に立つりっちゃんが、いらっしゃい、と元気な声で迎えてくれた。

「あら、久しぶり。お連れの方は？」

「職場の先輩」

「どうも、はじめまして。こりゃまた、おたふくソースが似合いそうな……」

「心の声は口に出さない。失礼じゃないですか」

国語教師を窘《たしな》めながら、りっちゃんにゴメンと片手を立てたが、りっちゃんはそんなのはご愛敬《あいきょう》だといわんばかりに、笑ってカウンター席の一番奥に案内してくれた。

生ビールとウーロン茶、ソース味と醬油味《しょうゆあじ》のたこ焼きをひと舟ずつ頼む。

「おまえ、飲めなかったっけ？」

「禁酒中です。こちらにおかまいなく」

「じゃ、遠慮なしで」

店はりっちゃん一人が切り盛りしている。冷やしたジョッキにビールを注ぎ、アイスウーロン茶のグラスに丸い氷を沈める。それらを枝豆の小鉢と一緒にカウンターに出すと、ごゆっくり、と再び鉄板に向かった。通りに面した窓越しに、持ち帰り用の注文をする人たちも並んでいて、忙しそうだが、手際《てぎわ》はいい。

「じゃあ、お疲れさまです」

国語教師と形ばかりの乾杯をして、枝豆をつまんだ。

「朝、おまえにあの新聞記事のことを訊《き》かれて、今日一日、俺なりにいろいろと考えてみたんだが……。確かに、あの子が自殺をするとは考えられん。でも、俺が知っているのは一昨年《おととし》までのことだし、手がかからない子だったぶん、あまり深くかかわってないから、自殺をする理由がまったくないとも言い切れない。考えてみたところで、俺にはわからん。でも、もっとわからんことがある」

「何ですか？」

「おまえがどうしてあの事件に興味を持つのか。教師として、ってのは通用せんぞ」

「それは……」

「はい、お待たせ」

りっちゃんが片手にひと舟ずつたこ焼きの皿を持ち、どんとカウンターに置いた。持ち帰り用は使い捨てのプラスティック容器だが、夜に店で食べる用には、黒地に赤いふちのある舟形の陶器の皿が使われ、それなりに風情《ふぜい》がある。八個並んだたこ焼きは近頃主流の大玉ではなく、昔ながらの中玉サイズだ。ラー油で仕上げた表面がカリカリのたこ焼きを、丸ごと口に放り込むことができる。

「まずは、食べましょう」

言い終える前に、国語教師はカウンターに立ててある筒から竹串《たけぐし》を取り、かつお節の踊るソースたこ焼きに突き刺していた。

事件のことは知りたいが、この人に身の上話をするかどうかは、食べながら考えるとしよう。

母の手記

神父様――。母を亡《な》くしたあの日から、私の人生は一変しました。

父も母も失い、私の家族はこの世に誰もいなくなってしまったのです。広い世界に一人ぼっち。世界は限りなく広く美しいはずだったのに、太陽を失った私の周りにはただ暗闇《くらやみ》があるだけでした。たとえ足元に美しい花が咲いていたとしても、それに気付くことができないどころか、知らぬうちに踏みつぶしているかもしれないのです。

あなたはお日様のような子。

母は私をそんなふうに言ってくれましたが、母こそが私の太陽だったのです。母が太陽だとしたら、私は月のようなもの。夜空を明るく照らす月は、自らが光を放っているのではありません。太陽の光を受けて輝いているだけなのです。太陽を失った月など、その辺に転がる石ころと何ら変わりはありません。

暗闇に転がる石ころはただひたすら、自分につまずいて誰かが転んでしまわないことを祈るのみ。それでも私は望んでいたのかもしれません。人工の灯りでもいい。誰かが私の存在に気付いて、もう一度優しく照らしてくれないか、と。

田所と娘がいたではないか、とは言わないでください。この二人は、共に同じ屋根の下で生活している者という意味においては、私の家族だったのかもしれません。しかし、父や母の存在とはまるで違います。

私にとって家族とは、共に喜びを分かち合う者同士のことをいうのです。田所や娘、そして、あの忌《い》まわしい日の後から共に過ごすことになった田所家の人たちは、こちらがどんなに喜びを与えても、その百分の一も私に返してくれることはありませんでした。

それでも私は努力しました。子どもの頃からずっと努力はしていましたが、それは両親からの愛の元に成り立っていたもので、私の行為は褒めてもらえることが前提の、甘えが滲《にじ》んだものだったことに気付いたのです。そして、決意しました。

誰も光を当ててくれないのなら、石ころを自分で磨けばいい。光を失ったといつまでもメソメソしていたら、私を生み出してくれた両親に申し訳がない。母のように自ら光を放てる人になろう。

そうやって血の滲む思いで自らを鍛錬して放った光は、あろうことか、神父様……。娘によって阻《はば》まれてしまうのです。

もちろん、私は娘を愛していました。私の放つ光は一番にあの子を照らしてやりたいと望んでいました。ただ、あの子の心には、母親といえども他人を寄せ付けない、温かい光を撥《は》ね返す、暗い大きな壁があったのです。

それに気付いたのは、あの台風の年から四年後、娘の十歳の誕生日の夜でした。あんなに小さかった赤ん坊がこんなにも成長したのかと、眠る娘の頭を撫《な》でてやろうと手を伸ばしたときです。ほんのわずかに髪の毛の先に手が触れた瞬間、あの子は私の手を強くはじいたのです。忌まわしいものでも振り払うかのように。

娘が目を覚ました様子はありませんでした。無意識の状態で母親の手を拒んだのです。

このときの私の絶望感をわかっていただけるでしょうか。

母は私が物心ついたときから、いえ、きっとその前から、いつも優しく私を撫でてくれました。頭だけではありません。からだじゅう至るところを、わが子の成長を喜び、慈《いつく》しむように、温かい手で触れてくれていたのです。

　転んで擦り傷を作っても、母の手で軟膏《なんこう》を塗ってもらうと、あっというまに痛みは和らぎました。学校で友だちとけんかをして泣きながら家に帰っても、おでこを母に撫でてもらえば涙は止まり、明日、ちゃんと仲直りできると元気が湧《わ》いてきました。テストで百点をとったときは、スキップしながら家路につきました。台所で夕飯の支度をしている母にテストを広げて見せると、母は、よくがんばったわね、と言いながら濡《ぬ》れた手をエプロンでぬぐい、できたてのおかずを一口味見させてくれました。

　こうして、ノートに書き記すだけで、母の肉じゃがの味を思い出すことができます。菜箸《さいばし》に挟んでふうふうと息をふきかけたおいもを、母は私の大きくあけた口の中に、ちょんと載せてくれました。舌の上でほこほこと崩れていく、出汁《だし》の浸みたおいもをゆっくり噛《か》みしめていると、母の手が伸びてきて、「お母さん、嬉《うれ》しいわ」と頭を撫でてくれるのです。おいもを飲み込んで、得意げな顔で、お母さんのためにがんばったのよ、と答えると、母は嬉しそうにもう一度撫でてくれました。

　喉《のど》を通っていくおいもは温かく、母の手はそれよりもっと温かく、私の心を外からも内からも温めてくれたのです。

　同じ喜びを、娘にも与えてやりたかっただけなのに。

ただ、娘が私の手を拒んだのは、自業自得《じごうじとく》だったのかもしれません。私の方から娘に触れようとしたのは、あの日以降、初めてだったのですから。

あの日までは何のためらいもなく、母が私にそうしてくれていたように、私は娘と手を繋《つな》ぎ、膝《ひざ》に乗せ、小さなからだを撫でてやっていました。

町に買い物に出かける際、高台の家から駐車場までの坂道を、娘を挟んで田所と三人で手を繋いで歩くのが好きでした。田所は照れもあるのか、車が来たら危ないから、と自分だけ手を離そうとするのですが、山の麓《ふもと》の田舎道です。車が来たら離せばいいでしょ、と私が言うと、そのまま娘の手を握り、歩調を娘に合わせ、口笛を吹きながら歩いていました。

そっと振り返り、三人分の長い影が伸びているのを見ると、まるで、父と母と私の三人で歩いているかのような気分になり、幸せが込み上げてきたのです。それなのに……。

気が付くと、私は娘に触れるどころか、触れられることを避けるようになってしまっていたのです。決して、娘に対する愛情が消えてしまったからではありません。娘の手が特別なのか、子どもの手がそういうものなのか、あの子の手は真冬でもぽかぽかと温かかったのです。

あの子の手から伝わるぬくもりは、私に母を思い出させ、もう二度と母に優しく頭を撫でられることはないのだ、と私を悲しみの淵《ふち》に追い込んでいきました。私には母親がいないのに、この子にはいる。お母さん、と呼べば返事をしてくれる人がいる。頭を撫でてくれる人がいる。どうしてこの子にはいて、私にはいないのだろう。悪いことなど何もしていないのに。どうしてこの子は母を亡くした私の気持ちなどおかまいなしに、当たり前のような顔をして、甘えてくるのだろう。

娘は何も悪くないとわかっていても、握られた手を振り払ってしまうこともありました。

その罪滅ぼしの思いも込めて、寝ているあの子の頭を撫でてやろうと思ったのです。それなのに、あの子は私を拒否した。

神父様、愛情とは直接触れなければ育《はぐく》むことはできないのでしょうか。思うだけでは伝わらないものなのでしょうか。私はそのようには思いません。私は母が亡くなったあとも、母の愛情を感じていたのですから。

自分の中にある、目上の人に奉仕したい、自分の満足よりも他人に喜んでもらえることを優先したい、という気持ちは母の愛情によって私の中に形成されたものです。

田所の両親に尽くす。田所の妹たちを大切にする。言葉にすれば簡単ですが、実行するのは容易なことではありません。理不尽な思いを何度もしたし、すべて投げ捨ててしまいたいこともあったし、もう嫌だと叫び出してしまいたいこともありました。しかし、それとは裏腹に、母の愛情も感じるのです。

えらいわね、やっぱりお母さんの子だわ。と、母の声が聞こえてくるのです。

そういう人であらねばならないという母の教えを、私は娘にも伝えてきました。頭の回転は速い子なので、私の言うことをよく理解してくれているのだと、わが子の成長を嬉しく感じることもありました。ちゃんと私の愛情を受け取ってくれているのだと。

しかし、あの子は理解などまったくしていなかったのです。

高台の家は全焼し、私たちは必然的に田所の実家に住むことになりました。

義母は帰ってこいと遠まわしに言っていたことなど、まるでなかったかのように、私たちを迎えました。

「わたしは人一倍気を遣う性分なんだよ。せっかく娘たちも出ていって気楽に暮らしていたっていうのに、親子三人転がりこんでくるなんて、息が詰まってしまいそうだ。

いっそ、アパートでも捜してわたしが出て行こうかねえ」

それならば、こちらが出て行きます。と返す気力など、母を失ったばかりの私にはありませんでした。

「決して、ご迷惑はおかけしませんので、どうかここに置いてください」

そう言って、深く頭を下げるのが精一杯だったのです。

田所の家は、二階建ての日本家屋で、私たちには二階の一部屋が当てがわれました。田所や娘がすっかりとくつろいだ様子で、大きな音でテレビを見たり、レコードをかけたりするなか、私だけが息をひそめるように、足音すら消して生活していました。

義母の耳につくのは私がたてる音ばかりだったからです。風呂《ふろ》に入るのは私が最後なのに、いつからそこにいたのか、私が風呂からあがると、脱衣場に義母がいて、お湯の使いすぎだ、と裸のまま怒られたことが何度かあり、冷めきった浴槽の湯でからだを洗い流すのも、音をたてないように、少しずつちょろちょろと流すようになりました。

そのせいか、越してきた早々風邪をひいてしまい、朝食の片付けを終わらせたあとで横になっていると、義母が二階の部屋まで上がってきました。

「こっちは仕方なくあんたたちを住まわせてやっているのに、何様のつもりでいるんだい」

　熱があることを告げても、優しい言葉など何一つかけてくれません。それどころか、

「風邪をひけば、何もしなくていいなんて思われちゃ困るんだ。そうなりゃ、あんたは一生風邪ひきになっちまう。わたしなんか、四〇度の熱があっても、野良《のら》仕事にかりだされていたんだ。今年の稲刈りが終わっているだけでもありがたく思うんだね」

　そう言われ、私は足元をふらつかせながら立ち上がり、箒《ほうき》を持って庭に出るのです。

　手入れの行き届いた広い庭には、季節ごとに花を咲かせる木が植えられていて、その中にしだれ桜もありました。紅葉の季節に、台風のせいですべての葉が落とされた侘《わび》しい姿は、まるで私のようでした。

　着の身着のまま放りだされた私たちに、義母は、田所と娘には新品の服や下着を買い揃《そろ》えてくれましたが、私には嫁いでいった田所の妹、憲子のお古が当てがわれました。体格のいい憲子の服は私には大きすぎ、肩の辺りがだらんと下がった、だらしない格好になってしまうのです。

　手をかけて作った食事は、口に合わないと、音を立てて箸を置かれ、洗濯をすると、あんたの服とは一緒に洗ってくれるな、と洗い直しを命じられる。熱のあるからだを横たえることも許されない。

こんな日々が続くのなら、いっそ母のところに行ってしまいたい。

そんな思いに取りつかれ、庭の掃除をしながら木々を眺めるうちに、どれが首をくくるのにちょうどいいだろうと真剣に考えたりしたものでした。できるなら、今の私の姿に似たしだれ桜がいいけれど、あいにく、地面に向かって伸びるしなりやすい枝では、首をくくるのは難しいだろう。ならば、あの下で舌を噛んでしまおうか。

母の四十九日が終われば、本当にそうしようと考えていました。それなのに……。

四十九日の朝、いつものように箒を持って庭に出ると、しだれ桜の枝に薄紅色の八重桜が一輪だけ咲いていたのです。十二月に桜が咲くなど聞いたことがありません。

これはきっと母が咲かせたのだ。バカなことは考えずに、この花のように、そのような環境になくても、努力をすれば花を咲かせることができるのだから、がんばりなさい。そう私に教えてくれているのだと感じました。

義母が辛《つら》くあたってくるのは、私の心が彼女に向いていないからだ。彼女もまた自分の親であるという自覚が私に欠けていることを見抜かれているのだ。義母が何を望んでいるのかを考えて、誠心誠意尽くせば、きっと私のことを受け入れてくれるに違いない。

そうやって、私は少しずつ、田所家の人間になっていこうとしていたのです。

日常生活に気を配り、慣れない田んぼでの農作業も義父母の二倍動き回り、三年と数ヶ月経《た》った頃です。義母は相変わらず辛辣《しんらつ》な言葉を口にしていましたが、良いこともありました。

屋敷の隣に、私たち用の離れが建てられたのです。

大阪の女子大に行っていた次女の律子が卒業して帰ってくるため、二階を律子用にあけ、私たちが移動することになったのです。和風の平屋建てでしたが、広さも間どりも高台の家とよく似ていました。風呂はなく、台所は小さな流し程度のものはあったものの、食事は母屋《おもや》でみな揃ってとることになっていました。

それでも、自分の空間ができたことが嬉しかった。

離れを提案したのは義母だったので、これぱかりは心から感謝しました。私の努力が認められたのだと、つぼみをたくさんつけたしだれ桜の木に触れながら、母に感謝の気持ちを伝えたほどです。

小姑《こじゅうとめ》に当たる律子に対しても、よくぞ帰ってきてくれた、と思ったのです。しかし、日常生活がたちまち楽しくなるわけではありません。

これが家族の食卓なのだろうか。考えても仕方がないとはいえ、三日に一度はため息をついていたように思います。畳敷きの部屋に置いた長方形のちゃぶ台の両端に義父と田所、奥に義母と律子が並び、戸口側に私と娘が座るというのが定位置でした。

食事の席では毎日のように、義父と義母が寺への寄付金や国からの減反政策の件をめぐって口論をしていました。ふいにどちらかから意見を求められ、すぐに答えられないと、義母に文句を言われてしまうため、私はいつも食べ物を口に運んでは、ろくに噛みしめることなく飲みこんでいました。

「これだから四年制大学を出ていない嫁は、頭が悪くて困るんだ」

まさか、学歴を否定されるなんて。両親は私に四年制大学を勧めてくれましたが、女性のたしなみとしての教養を身につけるには、短大で充分だと私は判断したのです。それに、あの頃は両親と四年間も離れて暮らすなんて考えられなかった。

しかし、義母にとっては見下すべきことだったのです。律子の出た女子大など、名前も聞いたことがないというのに。そのうえ、田所や律子が親からの問いかけに適切な答えを返していたかというと、そうではありません。口論する親をまったく無視してもくもくと食べ続けているだけです。

「哲史、おまえはどう考えているんだ」

「律子、あんたからお父さんに言ってちょうだいよ」

親からそのように言われていても、田所は耳栓でもしているかのように無反応、律子はただにやにやと笑いながらおかずを頬張るばかりです。そんな子どもたちに親はそれ以上何も問いかけず、結局は私にまわってくるのです。

「ちゃんと、お義父《とう》さんたちの質問に答えてあげたら？」

離れの部屋で田所にそう言うと、きりがない、のひと言で片付けられました。

「でも、あなたが無視をすると、私にまわってくるじゃない」

そう返すと、きみも無視すればいい、と面倒くさそうに答えるのです。

親を無視するなんて、私には考えられないことです。そもそも、無視などしたら、何と言われるか。私はそれまで、相手の気持ちに寄り添えば、何を望まれているのかおのずとわかる、自分にはその才能があると自負していました。

実際に、田所の親から寺の寄付金の金額について訊《たず》ねられても、減反政策について訊ねられても、適切なことを答えていたと思います。本音としては義父に賛同することが多くても、義母の機嫌を損ねては家庭内がうまくいかなくなることはわかっているので、よほどの弊害がでない限り、義母の意見に賛同するようにしていたのです。

当然、義父の機嫌はよくありません。しかし、どういうわけか、義母もこちらが味方についたというのに、喜んではいないのです。そして、

「まあ、あんたに聞いても仕方がないことだけどね」

と吐き捨てるように言い、「ああ、こんなまずいもの食べてらんないよ」と席をたっていくのです。

しかし、それは私がまだ義母という人を理解しきれていないからだと思っていました。同時に、義母が私を見ようとしてくれていないからだとも思いました。

私という人間の本質を理解してくれれば、きっと義母は私を受け入れてくれるに違いない。ただ、今は義父母ともに元気で、お互い歩み寄らなくとも生活していけるため、あえて距離を保っているようなところがあるのだろう。人生は三年、五年、十年、といった短いものではない。何十年も続いていくことを考えながら、少しずつ土台を作り、固めていけばいいのだ。

そんなふうに考えていたのに、娘にはそれが理解できなかったのです。

義父母が口論になると、田所と律子が黙りこむ反面、娘はまだ小学生だというのに、おとなの会話によく口をはさんできました。

「お寺の寄付金なんて、本堂の入り口のところにある石に、一番目に名前を彫ってほしいから、いくらにしようか考えているんでしょ。バカバカしい。田んぼも国から減反しろって言われてるし、パパの会社だってだんだん仕事が減ってきているのに、そんなところにお金をかけてる場合じゃないじゃん」

したり顔でそんなことを言うのです。間違ったことを言っているのではありません。むしろ、私も同じ意見でした。

田所の勤務する鉄工所は当時、韓国の第二次産業の急成長を受けて、少しずつ受注が減っているところでした。夜勤も休日出勤もなくなり、残業も減り、週の半分は定時で帰ってくるといった状態で、それに伴い、収入も減っていたのです。

しかし、こんなことを子どもに言われたら、たとえ正論であっても、プライドの高い人たちはそうだと素直に頷《うなず》くことはできません。

「子どもが生意気なことを言うんじゃないよ」

義母に一喝されてしまいます。が、ひるむような娘ではありません。

「じゃあ、子どもの前で言わなきゃいいじゃん」

平気な顔をして答えるのです。きっと、娘の気性の激しさは義母譲りなのでしょう。娘に祖母を敬う気持ちはなく、義母に孫をかわいいと思う気持ちもなく、他人同士のようにぶつかりあうのです。一度火のついた娘は、途中で感情を収めるということができませんでした。

「だいたい、お寺に何百万も寄付するんだったら、ママにちゃんとお給料を払ってよ。毎日、朝から晩まで働いて、家事もしているのに。そのくせ、何にもしてないりっちゃんには毎月お小遣いをあげてるんだから」

これも事実でした。かつては人を雇っていた農作業も、私たちが帰ってきてからは家族だけで行うようになりました。

じいちゃん、ばあちゃん、かあちゃん、の三ちゃん農業っていうじゃないか。世の中みんなこうやって、自分の家の田んぼは自分たちで守ってるんだ。それを地主だった我が家が率先してやらないのは恥ずかしい話だよ。あんたにも早くこの自覚を持ってもらわなきゃね。いつまでもお嬢様気分でいられちゃ、こっちが迷惑だ。

人を雇えるほどの収入がなくなったことをきちんと認めて、一緒に農作業をやろう、と一言いってくれれば気持ちよく働けるものを、プライドの高い人はこんな言い方しかできないのです。

律子はこちらに帰ってきたばかりの頃は、親のってで紹介された野菜の集荷場で働いていましたが、嫌味を言う同僚がいるといって、ひと月もたたないうちに辞めてしまい、一日中家で手芸などをして過ごすようになりました。

わたしも辞めさせたいと思ってたところだったんだ。仕事に行くたびに手がぼろぼろになっていくんだからね。農協の課長さんがぜひにって言うから行かせたけれど、嫁入り前の娘にさせる仕事じゃないよ。

青筋をたてながら怒るような仕事ではありません。野菜をネットに入れたり、パック詰めするだけの簡単な作業です。律子の手よりも私の手の方が何倍もぼろぼろになっていましたが、義母はそれには何とも思わなかったのでしょう。

当然のことだと思います。義母の手はもっとぼろぼろで節くれだっていたのですから。嫁は自分と同じくらい働いて当然、しかし、娘には自分のような苦労をさせたくない。それが親心というものです。もし、母が生きていて私の手を見たら、悲しんだに違いありません。

しかし、母は桜の木になったのです。夜、寝る前に自分の手を見ると、辛くなることはありましたが、しだれ桜の枝だと思えば、母がいつもこの手をやさしく包みこんでくれていると感じることができたのです。

あなたは本当によくがんばっているわ、と言って。

母親に守られている律子をうらやましく思いましたが、義母は頭の悪い人ではありません。何もしない律子よりも私の方が何倍も尽くしていることにいずれは気付き、私へも同等かそれ以上の愛情を注いでくれるのではないかと信じていたのです。

母親は子どもを守る存在である。

それなのに、娘は親の後に隠れるどころか、自らが前に出て、火に油を注ぎにいくような子どもだったのです。何の力も持たないのに。

「文句があるなら、出て行けばいい」

義母が娘の口を封じるための一言でした。そして、娘が黙り込むと、義母は私に向かって言うのです。

「忘れてもらっちゃ困るよ。あんたたちの方から押しかけてきたんだ。離れまで建ててやったのに、そのうえ金を払えとは、あつかましいにもほどがある。もしかして、わたしたちの面倒をみてやっているつもりでいるんじゃないだろうね。わたしもお父さんもあんたたちなんかいなくても、何にも困りゃしないんだよ。律子がこうして戻ってきてくれたんだ。いつでも出て行けばいい。むしろ、そうしてほしいもんだね」

私のこれまでの努力はこうして、娘の成長とともに打ち砕かれていったのです。そのうえ、娘はとんでもないことをしてしまいました。

一日中部屋にこもって人形作りなどをしていた律子ですが、仕事を辞めて三ヶ月ほど経った頃から、ちょくちょく家を出ていくようになりました。まだ若いのだし、地元の友だちと遊んでいるのだろうと思っていたのですが、ある日、夏休み前に行われる娘の合唱発表会用の服を買うために、少し遠出をして、隣町のデパートで買い物をしていたところ、律子が男の人と一緒にいるところを見かけたのです。

律子も二十二歳の女なのだから、そういう相手がいてもおかしくはないのですが、私の目には、どうにも違和感のある組み合わせに映りました。

律子は大阪に四年間もいたというのに、垢抜《あかぬ》けない女でした。ぽっちゃりとしたからだに、団子っ鼻をつけたおたふくのような顔をしているので、華やかな格好をしても似合わないことを自覚していたのかもしれません。そのかわり、子どもの頃からお茶やお華、お琴などを習っていたからなのか、品の良さが垣間見《かいまみ》えるようなところがありました。

しかし、一緒にいた男は律子とはまったく正反対のタイプだったのです。細身のからだに、あごのとがった優男顔、派手なシャツにすり切れたジーパン。そういった外見だけでなく、口元のゆるんだ軽薄そうな表情や、背を丸めてポケットに手を入れたまま歩く姿も、律子とはまったく釣り合っていませんでした。

おまけに、律子はその男に高そうな腕時計を買ってあげていたのです。

健全な関係ではない。隠れて遠目に眺めながらも、私の胸にはざわざわとした不安が込み上げてきました。しかし、実の姉妹ならともかく、私が二人の前にしゃしゃり出て、どういう関係なのかと問い詰めることにためらいがあり、そのときは律子に気付かれないようにこそこそと逃げるように帰ってしまいました。

おかげで、娘の靴下を買いそびれ、せっかく大きなフリルの衿《えり》がついたブラウスを奮発して買ったのに、足元は地味な靴下になってしまい、合唱を聞きながらも、担任の先生や同じクラスの保護者たちから、私がちゃんと足元まで気配りできない母親だと思われたらどうしようと、そればかりが気になって仕方ありませんでした。

律子の方がお金を払っていることに気を取られてしまったけれど、落ち着いて考えてみれば、誕生日プレゼントだったのかもしれない。と、冷静さを失ってしまった自分にあきれかえったくらいです。

しかし、それからも、週に一度の割合で、律子が男といるのを見かけるようになりました。遠く離れたところではなく、夜遅くに家の近所で、です。男は大阪ナンバーの長い箱のような黒の改造車を田んぼのあぜ道に停めていて、助手席に律子が乗っているのです。

一度目は婦人会の集会の帰りにたまたま見かけ、それ以降は、夜こっそりと律子が出て行ったあと、様子を窺《うかが》いに出ていました。決して、好奇心などではありません。

どこかによからぬ予感があったのです。しかし、田所や義父母には黙っていました。

そして、私の予感は当たりました。

九月に入ったばかりのある雨の日の午後、律子が離れにやってきたのです。滅多にない、一人の時間を楽しめるひとときで、私は座布団《ざぶとん》カバーに刺繍《ししゅう》をしている最中でしたが、律子を部屋にあげてコーヒーを淹《い》れてあげました。恋の相談をされるのかしらと、不安とは裏腹にどこかときめく気持ちがあったのでしょう。田所のウイスキー用のチョコレートをお皿にハート形に並べて、テーブルの真ん中に置いてみました。

それなのに、律子の用件は恋の相談ではあったものの、チョコレートをつまみながらできるような、かわいらしいものではありませんでした。

「お義姉《ねえ》さん、お金を貸してもらえないかしら」

こんなことを言ったのです。お金なら律子の方がたくさん持っているはずでした。私の財布の中など、田所の安月給から家族六人分の生活費を引くとどれだけも残らず、座布団のカバーでさえも、一番安い白無地の生地を買ってきて縫い、自分で刺繍をしていたのですから。それでも、新しい服やバッグを買うのに少しばかり足りないというくらいなら、貸してあげられるかもしれないと、私は律子にいくら必要なのかと訊ねました。

「百万円、どうにかならない？ 実家を売ったお金があるんでしょう」

わが耳を疑いました。母が亡くなったあとの家を、義父母から売ることを提案されたのは事実です。しかし、両親との思い出が詰まった家をやすやすと手放すことには抵抗がありました。そんなとき、絵画教室で一緒だった仁美さんから、家賃を払うので貸してもらえないかという申し出があったのです。

仁美さんはお兄さんが結婚して実家で同居することになったため、お嫁さんに気を利《き》かせて出て行くことにしたそうです。町役場に勤務しながら、自由な生活を送れるなんてうらやましいと思いました。だけど、三十五歳を過ぎてもまだ独身だということに、同情する気持ちの方が大きかったはずです。

田所には興味がなさそうに、きみの家なんだから好きにすればいい、と言われただけです。

家財道具は処分しましたが、母が作り上げた庭はそのままの状態できちんと手入れすると約束してくれたので、私は了解の返事をしました。それらの経緯を律子は知らなかったのでしょう。

仁美さんから月々二万円の家賃は受け取っていますが、それらは娘の服や日常生活のこまごまとしたものに消えていき、ほとんど手元に残っていません。たとえ、家を売り、まとまったお金を持っていたとしても、百万などという大金を簡単に貸すことはできません。

　何に使うのかと、私は律子に訊ねました。

　すると律子は、自分には今恋人がいて結婚も考えているのだけれど、彼の父親に借金があり、それを返済するまでは結婚できないと彼に言われたのだ、と打ち明けたのです。

　相手の男の名は黒岩克利《くろいわかつとし》。大阪での学生時代、律子がよく通っていた映画館で働いていて、友人として付き合っていたけれど、律子が田舎に帰ったあとで、黒岩は律子が自分にとって特別な存在の女性だったことに気付き、週末ごとに会いに来てくれるようになった、と。

　律子は恋だの愛だのといった言葉を繰り返しながら、黒岩の気持ちに応《こた》えたいと訴えてきましたが、私には律子がお金のために利用されているだけではないかと思えました。

「金額が大きすぎるから、哲史さんに相談してみるわ」

　そう言うと、律子は「お兄ちゃんには絶対に言わないで。もういいわ」と機嫌を損ねたように、離れから出て行ってしまいました。

その晩、律子は夕食後、家を抜け出しました。本人はこっそり出て行ったつもりだったのかもしれませんが、私はすぐに気付きましたし、実は、義母も前々から律子の様子がおかしいことに気付いていたのです。台所で洗い物をしていると義母が来て、律子がどこに出て行ったのか知らないか、と訊《き》かれました。昼間、律子が離れに来ていたことにも気付いていたようです。

私は義母に律子とのやりとりをすべて打ち明けました。深刻な娘の悩みを解決できるのは母親だけです。律子は本当は母親に相談したかったけれど、気性の激しい母親にどう切り出してよいのかわからず、間接的に伝えてもらうために私のところを訪れたのではないか、とも考えました。

難しい顔をして話を聞いていた義母ですが、百万という金額を出した途端、たまごを丸のみしてしまったかのように、口をあんぐりと開けたまま、何か言いたげに息だけ吐き出していました。

「たぶん、少し先のあぜ道のところにいるはずですけど、行ってみますか？」

そう訊ねると、口を開けたまま大きく頷いたので、二人で出て行きました。

思った通り、律子はいつものところに停めた黒岩の車の助手席にいました。これまでに見かけたいちゃいちゃとした雰囲気はどちらにもなく、黒岩は厳しい顔でそっぽを向いていましたし、律子は泣きそうな顔でうつむいていました。

義母が車に駆け寄り、助手席の窓を叩《たた》くと、律子は顔を強《こわ》ばらせましたが、「お金のことなら、母さんが相談に乗ろうじゃないか」と義母が言うと、パッと顔を輝かせました。家で話そうということになり、黒岩もにやにやしながら車を降りてきました。

百万円、渡すつもりなのか。あきれながら三人のあとをついて行ったのですが、義母はそれほど親バカではありませんでした。

母屋の居間に黒岩を通すと、義母に田所を呼んでくるようにと言われました。義父も同席し、全員分のお茶を運んだところで、あんたは席を外してほしい、と義母に言われ、私は仕方なく離れに向いました。家族だけで、ということなのでしょうか。

娘は母屋から漂うただならぬ空気を察知したのか、何があったのかと私に訊ねてきましたが、子どもに話せるようなことではありません。お客様が来ているとだけ伝え、あとは娘の気を紛らわせるために、ひと月後の娘の誕生日会の話をしました。

「おばあさんがいない日にできないかなあ」

娘は口をとがらせながらそう言いました。

前年の誕生日会に、娘は学校の友だちを三人招待したのですが、そのうちの一人があまりよくない噂《うわさ》のある家の子で、義母から誕生日会のあとで、田所の子があんな家の子とつきあってはいけない、と厳しく言いつけられたのです。もちろん、おとなしく引き下がる娘ではありませんが、今度連れてきたらその場で追い返す、と言われてからは、その子を家に連れてくることはなくなりました。

あんたからもしっかり言っておくように。義母は私にもそう言いましたが、これについては、義母に従うことはできませんでした。

かわいそうな人がいたら、率先して親切にしてあげる。

娘が物心ついたときから教え込んできたことなのに、今更どう否定しろというのでしょう。娘の友だち自身に問題があれば、私からも、あの子とは付き合うな、と言い切ることができます。しかし、問題があるのはその子の親であって、本人はむしろ、健全でない環境の中でよくぞこんなに礼儀正しく素直に育ったものだな、と感心できるような子だったのです。

娘が家に連れてくる友人たちの中で、おやつを出されてお礼を言うのも、靴を揃えて上がるのも、その子だけでした。

もしも母が生きていたら、そんな子と仲良くしている娘を褒めてくれたはずです。母親が若い男と逃げていき、父親はギャンブル好きで借金だらけというかわいそうな家の子に、無地のハンカチを二枚用意して、娘と同じ刺繍を入れてプレゼントしてあげた私のことも褒めてくれると思うのです。

もしも、あの高台の家で誕生日会をして、母も出席してくれていたら、娘へのプレゼントにラジオ体操でもらった鉛筆を持ってきたその子に、「プレゼントなんていらないの。お祝いに来てくれたことがプレゼントなんだから」とそっと鉛筆を返した私を、目を細めて微笑《ほほえ》みながら見守ってくれたと思うのです。

そして、母もその子の皿に一番大きなケーキを載せてあげたのではないか、と。

田所の屋敷に越して以来、義母に似たところばかり目についていた娘が、唯一《ゆいいつ》、母や私の血を受け継いでいると感じさせる行為を、窘《たしな》めるわけにはいきません。

「映画のチケットを二枚買って、お誕生日会の日に、律子さんにおばあさんを誘ってもらうのはどうかしら」

「それいい。ママ、グッドアイディアだよ！」

娘は手を打って喜びましたが、ひと月後、律子はこの家にはもういません。お誕生日会も中止になりましたが、娘の自業自得です。

母屋での話し合いの内容については田所から聞きました。

黒岩という男は、口では律子を愛していると言っても、金目当てなのは丸わかりだ。

父親の借金を返すためにと言って金を無心しているのに、父親の職業を聞いても、一回目と二回目では違う答えが返ってくるし、それに気付いてバツが悪くなると、自分は親に捨てられた身で、借金の本当の理由は病気の弟のためだと、涙ながらに訴えてくるし、かといって、病名を聞いても答えられない。とんだペテン師だ、と。

もう二度と律子に近づくな、と言って誓約書まで書かせて追い返したそうです。

誓約書を提案したのは田所らしく、義母は「いざというときに頼れるのは、やっぱり哲史だ。あの子は頭がいいし、弁がたつからねえ」と嬉しそうに言っていました。それほどに立派だったのかと、その場に立ち会えなかったことを残念に思ったほどです。

律子は納得できない様子で、食事もろくにとらず、部屋にこもってめそめそ泣いていました。勝手に出て行くことも考えられたので、これも田所の提案で、四六時中、誰かしら家に残って律子を見張ることになりました。

大概は義母が田んぼに行かず家に残ったのですが、稲刈りのときまでこれが続くと困るぞ、と義父は農作業をしながらぼやき、私もそれには同意していました。

しかし、初めは心を閉ざしきっていたかのように見えた律子でしたが、半月も経つと、黒岩のことなどすっかり忘れたかのように明るさを取り戻し、趣味の手芸も再開したので、私たちも安心していたのです。が……、それは律子の作戦だったのです。

絶好の稲刈り日和《びより》の日曜日でした。田所にも稲刈り機を動かしてもらうため、田んぼに出てもらうことになり、家には律子と娘が残ることになりました。義母は田んぼに出る前に、娘にしっかりと律子を見張っておくようにと言いつけました。

娘は交換条件を出したらしく、ちゃんと見張ることができたら誕生日会に好きな友だちを呼んでもいい、という約束を義母にとりつけていました。ちゃっかりとした娘に私は感心すらし、娘はトイレにも行かずに律子を見張るだろうと、信じていました。

それなのに、夕方、皆で家に帰ると、律子の姿はなかったのです。

「りっちゃんに商店街の手芸屋さんでお人形用のわたを買ってきてって頼まれて。絶対に出て行かないって指きりして約束したのに、帰ったらいなくなってたの」

娘は泣きながらそう言いました。律子の部屋には娘の言う通り、片足だけわたの入っていない人形のパーツが置いてありました。見ようによっては娘に似た顔の人形で、誕生日プレゼントに作ってくれる約束をしていた、と娘は言いました。

「いつもえらそうな口を利いてるのに、この役立たずが」

祖母は娘を怒鳴りつけると、急に腰が抜けたようになり、「律子、律子」と名を呼びながら、律子の縫ったバラの花が刺繍されたクッションを抱きしめて泣き出しました。バラがバラとわかる程度に絵は描けているものの、母どころか、私の足元にも及ばないようなお粗末な刺繍です。毎日手芸しかしていないのにこの程度のものか、とあきれてしまいました。

人形も途中段階とはいえ、ちんちくりんな出来栄《できば》えです。娘は本当にこんな人形欲しさにわたを買いに出たのか。かわいそうな友だちを誕生日会に招待できるチャンスを棒に振ってまで、この人形が欲しかったのか。母や私から受け継いだ他人を思いやる気持ちというのはこの程度のものだったのか。

律子が出て行ったことよりも、私は娘に失望しました。

義母はふさぎ込んだまま寝室に籠《こ》もるようになり、見かねた田所が義母を連れて大阪に行くことになりました。律子が出て行った二週間後のことです。

律子を捜すため、学生時代に住んでいたアパート周辺の映画館を当たってみるということでしたが、都会の入り組んだ街で見つけられるとは、田所は思っていなかったようです。九割がた、義母の気休めのためでした。

土曜日の朝に車で家を出て、大阪で一泊し、日曜日の晩に帰ってきた二人の顔には、疲労感が浮き上がっていました。思った通り、律子の姿はありません。しかし、田所はボソリと言ったのです。

「律子に会ったよ」

まさかと驚きました。同時に、会ったのに連れて帰ってこなかったということは、心配するような状態ではなかったのだろうと解釈しました。

「よかったじゃない。律子さん、どうしてた？」と笑顔で訊ねました。

「たこ焼きを売ってた。自分はもう死んだと思ってくれ、だってさ」

田所がそう言うと、義母はワッと顔を覆《おお》って泣き出しました。観光名所として有名な公園の、入り口前の小さな屋台で黒岩がたこ焼きを作り、律子が隣で売っていたというのです。「お二人さん、たこ焼き買っていってよ」と声をかけたのが、公園横の駐車場に向かう田所と義母だったとは、皮肉なこともあるものです。

「律子、律子、かわいそうな律子……」

義母はそう繰り返しながら、寝室に籠もって泣き続けました。

娘の誕生日会などできたものではありません。娘もそれは理解していたようです。プレゼントに新しい筆箱を買ってやったものの、あとはいつもと同じように過ごしました。田所と義父母は、誕生日だということにも気付いていないようでした。

しかし、十歳という節目の年齢です。自業自得とはいえ、ケーキくらいは離れでこっそり用意してやればよかった。そんな反省の気持ちも込めて、娘の部屋に入り、眠る娘を撫でてやろうと手を伸ばしたのです。そうしたら——。

神父様、私は何か悪いことをしたのでしょうか。

そのうえ、私を拒否するのは、娘だけではありませんでした。

冬がやってきて、屋敷の居間のストーブに火を入れると、義母は手をかざしながら、律子は寒い思いをしていないだろうか、と洟《はな》をすすり、おいしいお鍋《なべ》の用意をすると、鶏《とり》団子を頬張ったまま、律子はちゃんと食べているだろうか、と涙ぐみました。

「大丈夫ですよ」

私は精一杯慈愛を込めて声をかけたのに……。

「はっ、誰のせいでこうなったと思ってるんだ」

吐き捨てるようにそう言って、憎い敵を睨《にら》みつけるような目を、並んで食事をとっている娘にではなく、私に向けたのです。それ以来、春が来ても、夏が来ても、一年経っても、二年経っても、同じ状態が続きました。

なぜ、私のせいなのでしょう。

ただ、娘の罪をかぶるのが母親の役割だとおっしゃるのなら、納得することができます。

あの子の罪は私の罪――。

では、母が死んだのも私の罪なのでしょうか。

娘の回想

親に愛されない子どもが、他人から愛されることなどあり得るのだろうか。

自分に手を差し伸べてくれる人などいない。それに気付くのに、何年かかっただろう。いや、かなり早い段階で気付いてはいたはずだ。ただ、これが当たり前なのだと思い込んでいたため、さほど苦痛に感じなかっただけ。

食事はきちんと与えられていた。毎晩、風呂《ふろ》に入り、やわらかく温かい布団《ふとん》で寝ていた。給食費を期日に出せなかったこともない。合唱発表会の日には、フリルのついた衿《えり》の大きなブラウスを着ていき、運動会には、さほど活躍するわけでもないのに、新しいシューズを履いていった。

これが親の愛だというのなら、わたしは満たされている方に分類される。かわいい服や母が刺繍《ししゅう》をしてくれたハンカチを、同級生の女の子たちからうらやましがられると、自分は恵まれているのだと感じることもできた。

わたしは大切にしてもらえているのだ。

しかし、中谷亭は、そういうのは愛とは呼ばない、とわたしに言った。体裁を整えているだけだ、と。

亭と付き合い始めて数ヶ月後、試験明けに二人で行った映画館で、わたしは思い切り寝てしまった。それほど退屈な内容ではなかったはずなのに、前日の徹夜がたたったのか、スコンと落ちてしまったのだ。そのとき亭はわたしの髪に触れようとした。横髪が顔を半分以上覆《おお》っていて、息苦しそうに見えたらしい。

手を伸ばし、指先が頬に軽く触れた瞬間――わたしの片手は力一杯、亭の手をはじき、その衝撃で目が覚めた。

目の前に亭のポカンとした顔があったけど、暗闇《くらやみ》なのをいいことに、その表情は見えていないことにした。偶然手が当たってしまった。そんなふうにお互い小声で謝り合ってスクリーンに向き直り、映画が終わると手を繋《つな》いで館外に出た。

決して、不快だったわけではない。そもそも、足を温めてもらったことから始まったのに、触れられるのが嫌であるはずがない。

それなのに、どうして手をはじいてしまったのだろう。

無意識だったから驚いたんじゃないか、と亨に言われ、きっとそうだろうと納得した。

わたしは他人に触れること、触れられることに慣れていないのだ。

思い返してみると、夢の家での生活が終わってから、母に触れられた記憶がほとんどない。

拳《こぶし》を繰り返し振り下ろされるとき以外には。

わたしから母に触れたことは、片手で数えるくらいならあったかもしれないけれど、鬱陶《うっとう》しがられ、胸を切り裂かれるような言葉を投げつけられてからは、一度も触れたことがないはずだ。あのとき、何と言われたのだろう。

「触らないで。あんたの手は生温かくて、べたべたして、気持ち悪いのよ」

だから、他の人にも極力、触れてはならないと思ったのだ。

フォークダンスや組立て体操も、相手に触れるのが申し訳ないような気がして、落ちつかなかった。女友だちの中には、それほど仲が良いわけでもないのに、トイレの行き帰りや教室移動のときなどに、やたらと手をからめてくる子もいたけれど、彼女がなぜわたしにそんなことをしたいのか、まったくもって理解できなかった。

うらやましい、とは少し感じていたはずだ。

自分から手をからめたり、触れたりできる子は、親に、先生に、友だちに、自分が拒否されるとは思いもよらないのだろう。無意識な状態で触れられても、はじき返すこともないのだろう。

今になって思うのは、母は決してわたしを憎んでいたのではない。やらなければならないことや、心を煩《わずら》わせることが多すぎて、余裕が持てなかった。それだけだ、きっと。だって、暗くてよく見えないけれど、今手に感じるこの感触は母のものに間違いないはずだから。何年も触れていなくても、わたしにはそれがわかる。

ごつごつとした、小さな、温かい手――。

台風の夜に火事で家を失ったわたしたちは、父の実家で暮らすことになった。

高台にあった小さな洋風の平屋建てとは対照的な、広い田んぼの真ん中に建つ、昔ながらの大きな二階建ての日本家屋だった。立派な庭もあり、夢の家のような可憐《かれん》な花が咲き乱れているのではなく、松や梅、しだれ桜に椿《つばき》、さくらんぼにきんかん、といった四季の移り変わりを教えてくれる木々が、きちんと手入れされた状態で植えられていた。

荷物を運んだ日は、トラックから降りるとキンモクセイの花が香ってきた。甘く心地よい香りのはずなのに、肌寒い空気とともに、どこか寂しい気分になってしまったのを憶《おぼ》えている。

父も祖父母も家のことを「屋敷」と呼んでいた。

わたしたちの荷物は屋敷の二階に運ばれ、イグサの香るまだ青い畳が敷かれた十二畳間には、わたしの新しい学習机とランドセルが用意されていた。いつも眉間《みけん》にしわを寄せている父方の祖父母を、それまで苦手だと感じていたけれど、一緒に住めば仲良くなれるのではないかと、少しばかり期待したのに……。

共に暮らすにつれ、子ども心に不満が募っていくばかりだった。

まず、母をこきつかうこと。それまで農作業などまったくしたことのなかった母を使用人のように田んぼに連れ出し、一日中働かせたうえ、夕飯の品数が少ないだの、口に合わないだのと言って、作り直しをさせたり、そうやって作らせたものを一口だけ食べて残したりするのは、子ども心に許せることではなかった。

何十万もする掛け軸やつぼを、屋敷に訪れる物売りから衝動的に買ったり、お寺に何百万円も寄付したりするくせに、母にはまったくお金を払わないうえ、生活費が全部父の給料でまかなわれているのも納得できないことだった。

自分たちの知り合いが屋敷を訪れた際、相手の方は、息子さんご一家が帰ってきてくれてよかったですね、と言ってくれているのに、祖母が眉《まゆ》をひそめて「呼び戻したわけじゃない。自分たちだけじゃ生活できないから、財産目当てに帰ってきたんだ」と答えているのには、怒りすら湧《わ》いてきた。

しかも、奥の台所に母がいることを知って言っていたのだから。

何より不満だったのは、そんな祖父母に対して父が何も言わなかったことだ。夢の家にいた頃から、それほどおしゃべりというわけではなかったけれど、屋敷に越してきてからは、貝のように口を閉ざし、父の声がどんなだったかを忘れてしまうほどだった。

この家に母の味方は誰もいない。いや、おばあちゃんが死んでしまった今、この世に母の味方は誰もいない。

小学生になったら、がんばりましょうね。

母に対する理不尽さを感じるたびに、きまって耳元におばあちゃんの言葉がよみがえった。

おばあちゃんの代わりに、わたしが母の味方になろう。母を守ってあげよう。その思いで、祖母に一人で立ち向かっていった。祖父も口うるさい人で、祖母とはしょっちゅういがみあっていたけれど、母に対してはそれほどきついもの言いをしなかった。祖母はきっと、そういうところも気に入らず、母に厳しく当たっていたのだろう。

越してきてすぐの頃は、祖母もきついもの言いはしながらも、それほど理不尽なことは要求していなかった。それが、ある日、叔母たちのお古ばかり着ている母に、祖父が婦人用のセーターを買ってきて以来、明らかにいやがらせと思われる行動が始まったのだ。

デパートで売っているような高級品ではない。祖父は近所の商店街にある衣料品店に行って自分の服を買うのが好きで、そのついでに、半額のふだが貼《は》られた、趣味がいいとはいえない二千円の婦人用のセーターを買ってきただけなのに。つまらない嫉《しっ》妬《と》だった。

祖母が怒る原因はたいていが、小学生にでもつまらないとわかることだったので、反撃に出るのは難しくはなかった。ただ、祖母は分が悪くなると、この家から出て行け、と言い、それに対しては、わたしは何も言い返すことができなかった。わたしが生活力のある大人だったら、望むところだ、と母を連れ出すことができたのに。

自分の無力さを痛感した。

屋敷の二階では、父、母、わたしの三人で、川の字に布団を敷いて寝ていた。

無力さを痛感した晩は、夜中、眠っていると、母の「なんで、なんでなの……」という涙声と一緒に、背中や脇腹《わきばら》に拳を固めた強い衝撃が降ってきた。痛みに声をあげて泣きたかったけれど、これは祖母のせいなのだ、祖母から母を守りきれなかったわたしのせいなのだ、自分が悪いのだ、と歯をくいしばって寝た振りをしていた。

一度、暗がりの中で、涙をこらえていると、いびきをかきながら寝ているはずの父と目が合ったことがある。屋敷は父の生まれ育った家であり、祖母は父の母親なのに、この人は全部気付いていて、何もしてくれない。

家にいる大半の時間を煙草《たばこ》をくわえて過ごし、手持ちの箱が空になると、階段下の物置きに祖母が祖父用に買い置きしているのを取りに行く。自分の家とはいえ、こそどろみたいで情けない。

目の前にいる父は、夢の家にいた父とは別人なのだ。夢の家の焼失は、おばあちゃんとの別れだけではなく、父との別れでもあったのだ。

やはり、母にはわたししかいないのだ。背中や脇腹に広がるじんじんとした痛みにシップ薬を貼るように、この言葉を何度も頭の中で繰り返した。

しかし、そんな夜が何年も続いたわけではない。


屋敷にわたしたち用の離れが建てられたのは、小学四年生のときだ。

小さな平屋建ての日本家屋で、食事と風呂のときは屋敷に行かなければならなかったけれど、間どりや狭さに、どこか夢の家を思わせる雰囲気があり、ここでなら楽しく過ごせるのではないかと、久しぶりに家の中で楽しい気分になれた。

離れに祖父母がやってくることはなく、母もくつろげる場所ができたせいか、仕事の量が減ったわけではないのに、夢の家に住んでいたときのように、ハンカチや給食袋などの持ち物に刺繍を入れてくれるようになった。

四畳半のわたしの部屋も作られて、寝ながら母の涙声を聞くことも、拳を受けることもなくなった。

離れが建てられたのは、大学を卒業した父の二番目の妹、律子おばさんが帰ってきたからだ。

「一緒に住むことになったんだから、りっちゃんって呼んでね」

それまでは、母から「律子お姉ちゃん」と呼ぶように言われていたけれど、律子おばさんがわたしにそう言ったあと、母に、いいわよね？　と確認したため、わたしは彼女を「りっちゃん」と呼ぶことになり、りっちゃんに呼ばれて二階にある彼女の部屋にちょくちょくと遊びにいくようになった。

りっちゃんは帰ってきたばかりの頃はどこかへ働きに出ていたようだけど、じきに、一日中家にいるようになった。手芸が好きで、フエルトでマスコット人形をよく作り、わたしにもいくつか持たせてくれた。それをわたしが喜んで母に見せると、母は「そうやって、何でももらってこないの」とわたしを窘《たしな》め、こんないいものもらえないわ、と言って、全部りっちゃんに返してしまった。

母はわたしが他人から物をもらうのを嫌がった。

りっちゃんは叔母だし、同じ家に住んでいるのだから家族のはずで、おばあちゃんから小鳥のバッグをもらうのと同じような気持ちでいたけれど、母にとってはそうではなかったようだ。かつて寝起きしていた屋敷にも、台所と食事をとる居間と風呂場以外には入らないようにと注意されたし、二階に上がるなど他人の家に勝手に上がり込むのと同じことだ、と怒られもした。

しかし、わたしはそれほど屋敷が好きではなかったので、いいつけを守るのは苦ではなかったし、いっそ食事も別にしてくれればいいのに、とも思っていた。

祖父母は二人とも声が大きかった。食事の最中は、常に何らかの文句を言っていたけれど、二人が意気投合することはなく、どちらが正しいと思うかと、いつも母が問い詰められていた。

そんな横で知らん顔をしてもくもくと食べているのが父で、助け舟を出すのがわたしという役割は、離れができても変わることはなかった。食卓に新しく加わったりっちゃんはおかずを頬張りながらにやにやと笑っているだけだった。

どんなに祖母とけんかをしても、風呂に入り、離れに戻る前には、祖父母の前に三つ指をついて、おやすみなさいませ、と頭を下げるのが習慣だった。おばあちゃんと同じように接するように、と母に言われたからだ。しかし、おばあちゃんのように、おやすみ、と優しい声が返ってくることはなかった。テレビの音が聞こえない、と祖父に迷惑がられたことはたびたびあったけれど。

離れに戻り、父とまったく会話をせずにテレビを見ていると、片付けを終えた母がやってくる。母の風呂は短い。なのに、化粧水を塗ったり、パックをしたり、肌の手入れをするのには、風呂の三倍ほどの時間をかけていた。鏡台に向かう母の後から、鏡に映る母の顔を見ながら学校でのことを報告するのも、毎晩の習慣だった。

ママ、今日ね——。

夢の家にいたころは、鏡台に向かう母と話していると、いきなり母がくるりとこちらを向いて、ハンドクリーム塗ってあげようか、と言い、ピンク色のクリームをわたしの手に塗り込みながら話を聞いてくれることがよくあった。人工的な桃の香りに包まれながら、わたしは一日の出来事を夢中になって母に語っていた。

屋敷の離れでも、顔の手入れが終わると、母は桃の香りのハンドクリームを取り出すけれど、塗ってあげようか、とこちらを向いてくれることはなかった。塗って、とこちらから手を出したことはない。人から平気な顔をしてものをもらうような子になってほしくないということは、こちらからねだるなという意味だ。それは、きっと母に対してもそうなのだろうと、子ども心に解釈していた。

いや、単に拒否されるのが怖かっただけかもしれない。

学校での生活は毎日単調で、それほど語ることはないけれど、たまにおもしろいことがあると、つい夢中になって話してしまう。すると母は、最初は「あら、そう」と優しく鏡越しに微笑《ほほえ》んでくれるのに、その笑顔が嬉《うれ》しくてさらにとりとめのない話をしていると、ふっと冷たい表情になり、「もう、いいでしょ。あっちにいきなさい」とわたしを鏡に映らないところまで追い払った。

そんなときはいつも、やってしまった、と落ち込むのだけれど、真子ちゃんの話をしているときだけは、どんなに話が長くなっても、追い払われることはなかった。それどころか、褒めてもらえたのだ。

真子ちゃんは同じ地区に住む同級生で、三年生のときに同じクラスになり、仲良くなった。勉強も運動も苦手で、少しぼんやりしているところのある真子ちゃんは、クラスの子たちからよくからかわれて泣いていた。

バカや鈍くさいは悪い言葉だけれど、わたしが怒ることではなかった。しかし、「かけおち」と罵《ののし》るのは、どういうわけか許せなかった。真子ちゃんの母親が若い水道屋の男とかけおちした噂《うわさ》は町の誰もが知っていることだった。しかし、それを真子ちゃんをからかう言葉として投げつけるのは、人間として下劣な行為のように感じた。

「人の親をバカにできるくらい、あんたの親はえらいの?」

低学年の子どもが同級生に向かってよくこんなことを言えたものだ。男子も女子も、調子に乗って真子ちゃんをからかっていた子たちは、ほとんどが黙りこんだ。自分の親はこういうところがえらい、と返してきた子など一人もいない。そこでやめておけばいいものを、わたしは必ずとどめを刺した。

「みんな、聞いて。今から○○くんがお母さんの自慢をするんだって。どんなにすごい人か教えてもらおうよ」

　周りにいる子たちをそう言って注目させるのだ。追い詰められた子たちは大概が泣くか、涙ぐんだ目をぐいと袖《そで》でぬぐって、バーカ、とわたしに捨て台詞《ぜりふ》を残して走り去る。しかし、わたしは悔しくなんかない。自分がその子よりバカではないことを知っているのだから。

「真子ちゃん、いやなことを言う子がいたら、いつでもわたしに言ってね」

　そう言うと、真子ちゃんは鼻をすすりながらへへっと笑う。そういった一連の話を母に語ると、母はわたしを振り返り、にっこりと笑ってこう言ってくれるのだ。

「えらいわね。さすが、ママの子だわ。おばあちゃんが生きていたら、ものすごく喜んでくれたはずよ。これからも、真子ちゃんやかわいそうな子がいたら、助けてあげなさいね」

　ハンドクリームを塗ってくれなくなったからといって、母はわたしに冷たくなったわけじゃない。母から教えられたことを実践すれば、こうやってちゃんと褒めてくれるのだ。

　わたしは九歳の誕生日会に真子ちゃんを招待したし、真子ちゃんを嫌う祖母とも全面的に戦った。当然、十歳の誕生日会にも招待するつもりでいた。

一緒に暮らし始めると、りっちゃんと真子ちゃんがよく似ていることに、わたしは気が付いた。盆と正月、年に二度しか会っていなかった頃は、はつらつとした印象を持っていたけれど、家に帰ってきてからのりっちゃんは、日を追ってぶくぶくと肥えていき、とろんとした焦点の定まらない目をした、少しかわいそうな人という印象に変わっていった。

何よりも、食事中に口論になる祖父母をにやにやと笑いながら見ている顔が、真子ちゃんの笑い顔にそっくりだったのだ。

どうして何もしていないのにお小遣いをもらっているのだろう。田んぼの手伝いをしないのなら、せめて晩御飯の準備くらいしたらどうなのだ。わたしでも洗濯ものの取り込みと風呂の準備を毎日しているというのに。

そんなふうに、りっちゃんに対する不満はあったけれど、祖母のように面と向かって文句を言わなかったのは、りっちゃんが母を悪く言うことはなかったことに加え、わたしの中では気付かぬうちに、親切にしてあげなければならない人に分類されていたからだと思う。

ただ、りっちゃんは一日中家で好きなことをしているため、真子ちゃんのようにわたしが助けてあげなければならないような状況に陥ることはなさそうだった。

それが、ある日、りっちゃんをめぐって家族会議が開かれた。夜遅く、祖母に伴われて、りっちゃんと一緒に見知らぬ男が屋敷にやってきたのだ。背中を丸めてひょこひょこと歩く、やせっぽちの男だった。その後から、母もついてきていた。何が起きたのかと興味津々《しんしん》だったけれど、わたしが母屋《おもや》に向かうことは許されなかった。

離れで母に事情を訊《き》いても、母はりっちゃんについては何も話してくれず、誕生日会のことを切りだした。父のいない離れで母と二人きり。そちらの方が嬉しくて、一分一秒でも長く楽しい会話を母とするため、真子ちゃんの名前を出した。祖母に対する作戦が母の口から出たときの興奮を、今でも忘れていない。

もう寝なさい、と母に言われて自分の部屋に入り、しばらくすると、母屋から戻ってきた父の声が聞こえた。

「まったく、とんでもない奴《やつ》だ」

そんなことを言いながら、テレビを洋画をやっているチャンネルに合わせて、母屋でのいきさつを話す父の声が聞こえてきた。激しい銃撃戦の音が邪魔をして断片的にしか聞き取れない。

男はりっちゃんのことが好き。大阪から会いに来た。二度と来るなと追い返した。

親がいなくて、弟が病気……。

父の声はあきらかに男を軽蔑《けいべつ》しているようだった。肝心なことは何も言わないのに、こんなときだけ調子付いて語るとは。祖母の話し方にもそっくりだったし、それ以上に、学校で真子ちゃんをからかう子たちと同じ下劣なニュアンスが漂っていて、わたしはこの人の子どもなのかと、酷《ひど》く情けない気分になってしまった。

こんな調子で恋人を追い返されたりっちゃんがかわいそうな気にもなった。

母はどんな思いで聞いているのだろう。耳をさらに澄ませると、ようやく途切れた父の声のあとに、母の遠慮がちな声が聞こえた。

「でも、律子さん、かわいそう」

やはり、りっちゃんはかわいそうなのだ。母と同じ考えだったことが、とても嬉しかった。

だから、りっちゃんに協力してあげたのだ。

りっちゃんはわたしが味方であることを察知したのか、かなり早い段階から、逃亡の協力を頼んできた。

「あとでカルピスを作って持ってきてよ」

わたしからりっちゃんの部屋に行くことは母から禁止されていたけれど、祖母の前でりっちゃんに頼み事をされれば、断るわけにはいかなかった。

一度、カップラーメンを作って部屋に持ってきてくれと頼まれて、自分でやればいいじゃん、と言い返すと、年長者に向かってなんて口のきき方をするんだ、と母の前で祖母にこっぴどく叱《しか》られたことがあったからだ。しかし、こういうことでもなければお中元などでもらったカルピスを飲ませてもらえることはなかったので、わたしは喜んでカルピスを二人分作り、りっちゃんの部屋まで運んだ。

りっちゃんは小学生のわたしを相手に、自分が黒岩さんという男のことをどんなに愛しているかを滔々《とうとう》と語った。そして、誤解が生じたままの黒岩さんに直接会って謝りたいので、この家から抜け出せるように協力して欲しいと、わたしに頭を下げたのだ。

「本当はお義姉《ねえ》さんに頼もうと思ったの。お義姉さんはわたしの味方だから。だけど、お義姉さんのおかげでわたしが抜け出せたことがお母さんにバレると、お義姉さん、酷いことをされそうでしょう。お母さんのことだから、お義姉さんをこの家から追い出してしまうかもしれない」

祖母が母を罵る様子を安易に想像することができた。今になって思えば、りっちゃんはのろまなかわいそうな人ではない。そんなことに気付けなくなるほど、家を追い出される母の姿は、想像するだけでわたしの頭の中をかき乱した。

「でも、さすがにお母さんも、血の繋がった孫、しかも子どもを追い出すなんてことはできないでしょう。だから、お願い！」

「おばあさんはわたしに見張りをさせないんじゃないかな」

「信用させればいいの。何か交換条件を出して、絶対に裏切らないって」

「わかった。でも、りっちゃん、早く帰ってきてよ」

「三日くらいで帰ってくるって」

りっちゃんは決行日を稲刈りの日に定めた。祖母はわたしに見張りをさせることに難色を示したけれど、ちゃんと見張れたら真子ちゃんを誕生日会に招待させてほしい、という交換条件を切り出すと、死ぬ気で見張るんだよ、と脅しをかけながらも納得した。

祖父母と両親が出て行ったあと、りっちゃんの部屋に行くと、りっちゃんは余所《よそ》いきの服を着て、小さなトランクに荷造りを済ませていた。テーブルの上には作りかけの人形が置いてあった。わたしと同じ髪型をした、不細工な人形だ。

「いい？　この人形は誕生日プレゼント。だけど、片足分のわたが足りないの。これから商店街の手芸屋に行って買ってきてちょうだい。わたしはそのあいだに出て行くから。おばあさんに責められたら、前にりっちゃんの頼みを断ったらおばあさん怒ったでしょ、って言い返すのよ。それなら、ママに飛び火することもないでしょう」

そう言って、りっちゃんはわたしの手に三百円を握らせた。本当にやるのだと思うとからだじゅうから汗が噴き出してきたけれど、わたしは汗と一緒に硬貨を握り締め、りっちゃんに別れの言葉も告げずに屋敷を出て行った。すぐに帰ってくると思っていたのだから、そんな言葉は用意もしていなかった。

なのにりっちゃんは、三日経《た》っても、一週間経っても帰ってこなかった。

祖母はわたしに、この役立たず！　と言い放ちはしたものの、それ以上責めるようなことはしなかった。ひたすら嘆き、泣き、部屋に閉じこもり、二週間後には父と一緒に大阪までりっちゃんを迎えに行ったけれど、りっちゃんは帰ってこなかった。

大阪でたこ焼きを売っている、と言っていた。

祖母はかわいそうだと泣いていたけれど、好きな人と一緒なら楽しいのではないかと思い、母とわたしの二人でたこ焼きを焼いて売っている姿を想像してみた。木枯らしの吹く寒空の下、寒いね、とわたしが言うと、母はできたてのたこ焼きを一つ爪楊《つまよう》枝《じ》にさしてくれ、わたしはハフハフとそれを頬張る。心もからだも温かくなる。

とても、とても、幸せな想像だった。

りっちゃんも幸せに違いない。そして、母が責められることもない。

わたしは母を守ったのだ、という充足感も込み上げてきた。

祖母との約束を破ったせいで、誕生日会は中止になったけれど、最初からその覚悟だったのだから、落胆はしなかった。それに、たとえ決行されていても真子ちゃんは来なかっただろう。誕生日の前日、朝、登校すると、真子ちゃんがわたしのところにやってきて言ったのだ。

「今日からわたし、別の子と遊ぶから」

悲しくはなかった。生意気だな、と感じただけだ。それよりも、母と長い会話ができなくなることが寂しくて、トイレで少しだけ泣いた。

フリルのついたブラウスも新しいシューズもいらない。刺繍もしてくれなくていい。わたしのたった一つの望みは、母に優しく触れてもらうことだった。よくがんばったわね、と頭を撫《な》でてもらいたかった。そういう愛が欲しかった。

だから、ママ、この手を離さないで――。

＊

誰に向ってお前は嘆こうとするのか　心よ？　ますます見すてられて
お前の道は　不可解な人々の間をぬって　もがきながら
進んでゆく　だがしかし　それもおそらくは空《むな》しいのだ
なぜなら　お前の道は　方向を
未来への方向を保っているからだ
失われた未来への

以前　お前は嘆いたのだろうか？　あれはいったい何だったろう？　あれは
歓呼《よろこび》の木から落ちた一顆《ひとつぶ》の実　まだ熟れていない実であった
けれども　いま　歓呼《よろこび》の木は折れる
私のゆるやかに伸びていた歓呼《よろこび》の木が　嵐《あらし》のなかで
いま折れる
私の眼に見えない風景のなかの

いちばん美しい木が。私を眼に見えない
天使たちに分らせていたあの一本の木が

第四章　ああ　涙でいっぱいのひとよ

母性について

ソースと醬油《しょうゆ》、二種類のたこ焼きで小腹が満たされたところで、りっちゃんが料理の注文を訊《き》いてきた。少し前にアルバイトの男の子がやってきて、たこ焼きはそちらにまかせることにしたようだ。初めて見かける愛想のない子だが、鉄板に向かってもくもくとたこ焼きを引っくり返している。

おまかせで、と頼み、国語教師のビールを追加した。

「先生のお母さんってどんな人ですか？」

「俺の母親？　事件のことじゃないの？」

「そうですけど、何となく、これも訊いてみたいかなと思って」

事件について、まったく関係のないことではない。

「昔の田舎によくありがちな、肝っ玉母ちゃんだよ。まったく、どれだけゲンコツくらわされたことか」

国語教師が頭頂部を片手で撫《な》でながら言った。顔をしかめているが、懐《なつ》かしさをいとおしむような表情が浮かんでいる。

「痛かったですか？」

「当然だ。ただのいたずらのときは普通のゲンコツだけど、人さまに迷惑をかけたときには、中指の第二関節がとび出してるんだから、たまったもんじゃない。目から火花が飛び出たよ」

「それは痛そうですね」

「なに、おまえ。親にぶたれたことないの？　イマドキの子か？」

「そんなことはありませんけど……」

拳《こぶし》のかたちがどうだったかは、知らない。

「はい、お待たせ」

りっちゃんが豚バラのもやし炒《いた》めを出してくれる。りっちゃんの得意メニューだが、初めての客を連れてきたのだから、最初はもう少し気取ったものにしてくれてもいいのではないか。

「お、まさにうちの定番メニューじゃないか」

国語教師は嬉《うれ》しそうに箸《はし》を割った。

「こんなのが定番なんですか？ 奥さん、料理上手だって自慢してませんでしたっけ？」

「こんなので悪かったわね」

りっちゃんがカウンター越しに声を投げてくる。

「そうだよ、おまえ、失礼だぞ。こんなにたくさん肉が入ってるじゃないか。うちのはこれの半分くらいの大きさの肉が気持ち程度に入ってるだけだったぞ。なのに、母ちゃんときたら、しっかり肉を食えって、自分の皿の肉を俺の皿に載せてくれていたっけな」

「ああ、子どもの頃のことだったんですね」

「おまえがその話題をふってきたんだろ」

「そうでした。肉を食え、か。先生は一人っ子ですか？」

「いや、姉ちゃんと妹が一人ずついるが」

「ズルい、とか言われませんでした？」

「妹はたまに文句言ってたけど、男の子はいっぱい食べて強くなんなきゃいけないのよって、母ちゃんは俺にばっか食わせてたな」

強いかどうかは別として、たくさん食べてきたことには納得できる。

「でも、服なんかは姉ちゃんや妹の方がいっぱい買ってもらってたぞ。それも、母ちゃんは同じ女なのに、自分のなんてほとんど買わずに、子どもにばっかり買ってやってさ。まあ、親ってのはそんなもんだろ。俺も、娘の習い事がもうひとつ増えるから、来月から小遣い五千円カットだ。まあ、ピアノを弾きたいってんだから、仕方ないさ」

国語教師は大きく溜息《ためいき》をついて、もやし炒めを頬張ったが、それほど悲壮感は滲《にじ》んでいない。この人もまた、親なのだ。やはり、事件のことを訊いてみよう。

「飛び降りた子に、きょうだいはいるんでしょうか?」

「どうだろうな。その辺は確認してみないとわからないが……。そうだ、おまえ、こっちの質問にまだ答えてないままじゃないか」

「何でしたっけ?」

「どうして、あの事件に興味を持つのかってことだよ」

「ああ、それは……」

残ったもやし炒めを小皿に全部移す。国語教師が八割がた食べていたせいで、ふた口でからになった。分け方を少し考えろ、と心の中でぼやく。こっちはあんたの母ちゃんじゃないんだから。それでも、小遣いをカットされるのに、奢《おご》る覚悟で食事につきあってくれているのだ。先へ進めよう。

「母親の証言に、ひっかかるところがあったからです」

正確には、たったひと言が――。

母の手記

眠る娘に手を払われ、母親としての自信をなくしかけたとき、ふと、子どもが他にもいたらどうだっただろう、と考えました。一人に拒否されたからといって、こんなにも胸を痛めるだろうか、と。

高台の家にいる頃から、田所は子どもをもう一人欲しがっていました。きょうだいがいないと寂しいだろうと、娘のためのような口ぶりでしたが、田所自身が男の子が欲しいのだということは、言葉の端々から伝わってきました。

「女の子はいつか家を出ていくものだろう。なのに、きょうだいがいないとなれば、好きな男ができても条件次第じゃ、泣く泣くあきらめなきゃならないかもしれない。

親のことや、家のことで何か心配事が生じても、きょうだいがいれば心強い。親より子どもの方が長く生きるんだ。人生の一番の協力者じゃないか」

田所が妹の憲子や律子を思い浮かべながら言っているとは思えませんでした。

田所の言葉は間違ってはいないのでしょうが、私は自分の経験から、きょうだいがいないことがそれほどマイナスであるとは思えませんでした。私にきょうだいがいれば、たとえ男であれ、女であれ、上であれ、下であれ、両親の愛情は人数分に分散されていたことでしょう。二人きょうだいで、私が両親から受ける愛情が半分になったとして、残りの半分をきょうだいが埋めてくれるとは考えられません。

協力し合うどころか、愛情を求め合い、争うことになっていた恐れもあります。きょうだいがいないおかげで、私は両親からの愛を一身に受けることができた。田所は親の愛情をひとりじめできる幸せを知らないのだ。

そう考えると、娘もこのままで充分に幸せだと思えました。

しかし、隠し事はしないと決めていても、母に田所が男の子を欲しがっていることは言いませんでした。もしも、母が田所に気を遣い、子どもは複数いた方が幸せなのかもしれない、男親は男の子を望んでいるものなのだ、と考えでもしたら、母自身の人生を否定することになりかねなかったからです。

私に申し訳ないことをした、などと後悔されてはたまりません。

母を亡《な》くし、田所家に住むことになってからも、田所はふと思い出したように、もう一人子どもがいた方がいい、と言うことがありましたが、私にしてみればとんでもない要求でした。家事に農作業にと、朝から晩まで休みなく、身を削られるような思いで働いているのに、子どもをもう一人産み育てる余裕などどこにあるのか、と。

何より、子どもの誕生を一番に喜んでくれる母はもういないというのに。同じ母親という存在でも、妊娠したからといって、義母が私を休ませてくれるはずがありません。

律子が出て行ってからは、義母は眩暈《めまい》がするだの、頭が痛いだのと言って、田んぼに出ずに、寝室に籠《こ》もるようになってしまいました。そのうえ、翌年、義父が肝臓癌《がん》であっけなく亡くなってしまったのです。義母はまったく悲しむ様子はなく、葬式の日まで悪口を言っていたくらいですが、口げんかをする相手がいなくなったことにより、覇気がなくなるのに拍車がかかったのは確かです。

幸い、田んぼのいくつかは宅地として買い取られたものの、私一人でやっていくには一分一秒も休む間もないほどに残っていました。

とはいえ、避妊していたわけではありません。一人産んでいるのだから不妊症ではないけれど、二人目がなかなかできない人が多い、という話をテレビで観《み》たことがあったので、その体質なのだろうと自分なりに解釈していました。

神様は強く子どもを望む人にもなかなかお授けにならないことがあるのに、望んでいない者に授けたりなどするものか。田所が望んでも、妊娠することはないだろう。そんなふうにも思っていました。

しかし、そうやって「ない」と決めつけると、起きてしまうものなのです。

神父様、最初から「ない」ということには何とも感じないのに、「ある」が「ない」に転じると、どん底に突き落とされたような気分になるのは、なぜなのでしょう。もしも、私が母から愛情を受けていなければ、母を亡くしても、自分の中身をえぐり取られるような気持ちにはならなかったのでしょうか。きょうだいが一人いれば、悲しみも半減されたのでしょうか。

もしも、子どもなど一人もいなければ、私は何も失わずに済んだのでしょうか――。

二人目の妊娠に気付いたのは、あの台風の年から六年後、三十七歳の秋でした。早朝、炊飯器から立ち上る湯気の匂《にお》いで吐き気を催し、もしやと思ったのは、母の命日と同じ日付でした。もしかすると同じ時刻だったかもしれません。

病院で確認をしてもらい、夕飯の席で皆に報告すると、義母はあからさまに顔をしかめて言いました。

「いい歳《とし》して、まだそんなことをしていたのかい。子どもがもう一人欲しかったのなら、山の家で遊んで暮らしているときに、産んどきゃいいものを」

「そうよ、これ以上、母さんに苦労させないでちょうだい」

助太刀したのは、憲子です。憲子は七年前に結婚して、田所の家を出ていました。嫁ぎ先の森崎家は隣町の名士の家で、憲子の夫の父親は弁護士、二人の弟は医者と銀行員という立派な肩書を持っているのに、長男である憲子の夫だけが「グッド・スマイル企画」という何をやっているのかさっぱりわからない会社を経営していたのです。結婚三年後に男の子を授かり、森崎の家で楽しく過ごしていたようなのに、この半年ほど前から、毎日のように田所の家を訪れるようになっていたのです。

朝早くから四歳になる息子の英紀《ひでき》を連れてやってきて、義母と一緒にだらだらとテレビを見てすごし、昼食と夕食を取って帰っていく。憲子の実家であるのだから、いつ里帰りし、どう過ごそうと自由なのかもしれません。しかし、こちらにしてみれば、食費ひとつとっても、憲子の訪問はありがたいものではなかったのです。

っただけでなく、夫を亡くし、すっかりふさぎ込んでしま
った母親が心配だから、ということでしたが、他に理由はあったのです。

英紀のことでした。

「弁護士だの、医者だの、森崎の人間にはさんざんえらそうな態度を取られてきたけど、憲子はそのご立派な家の跡取り息子を産んでやったんだ。これからはもう、何を遠慮することもない。あんたがあの家を仕切ってやればいいんだ」

英紀が生まれたばかりの頃、義母は憲子にそんなことを言っていました。実際、森崎家の両親はたいへん喜び、孫の世話を買ってでてくれたため、憲子は英紀を義父母に預け、映画だの、芝居だの、買い物だのと遊びまわっていたようです。自由な時間があるのに、農繁期に実家を手伝いに来たことは一度もありません。

私が憲子一家に会うのは盆と正月くらいでしたが、走り回れるようになった英紀が棚の上のものを片っ端から落としていくのを見て、男の子は大変だな、と思う以外に気に留めることは何もありませんでした。

「英くんは元気だねえ。やっぱり、男の子はこうでなきゃ」

英紀が好物のウインナーの天ぷらを両手に摑《つか》んで食べるのを見ながら、義母は嬉《うれ》しそうに笑っていました。

「英紀はやることが大胆だから、将来大物になるだろうって、向こうのじいとばあも期待してくれてるのよ」

憲子は英紀に負けないほど天ぷらを頬張りながら、誇らしげにそう言っていたのに……。

成長するにつれ、行動が乱暴になり、発達の遅い言葉が気持ちに追いつかず、キーキーと猿のような甲高い奇声をあげる英紀に、森崎家の人たちは、徐々に奇異なものを見るような目を向けるようになったというのです。

「お義母《かあ》さんときたら、英紀は知能の発達が遅れてるんじゃないか、病院で診てもらえ、なんて言うのよ。おまけにうちにはそういう障害を持つ者はいないが、そっちの家はどうなんだって」

義母に向かって、憲子が泣きながら訴えているのを、台所のドア越しに聞いたことがあります。

「まったく、なんて失礼な人たちなんだろう。子どもが少しばかりやんちゃなだけじゃないか。そんな人たちと一緒にいるんじゃ、英紀がかわいそうだ。母さんが世話をしてやるから、ここに連れてくればいい」

普段、ふさぎこんでいるのが嘘《うそ》のように、義母の声には張りがありました。怒ることがエネルギーに変わる人なのでしょう。ただ、そのエネルギーはその場限りのものだったのです。翌日、憲子が英紀を連れてやってくると、半日も経《た》たないうちに、眩暈がする、頭がのぼせてきたと言って、寝室に籠もってしまったのです。

同様に、憲子まで頭が痛いだの、血圧が上がるだのと言い出し、英紀を離れにいた私のところに連れてきたのです。久しぶりの雨降りの休息日だったというのに。

「お義姉《ねえ》さん、お願い。わたしもう、本当に頭がおかしくなっちゃいそうなの」

両手を合わせて頭を下げられると、断るわけにはいきません。私を頼ってくれているのだから、協力してやりたい気持ちにもなりました。そうして、英紀を預かると、思っていたほど乱暴な行動をとったり、奇声を上げたりすることもなかったのです。

英紀は絵本を持ってきていて、私の膝《ひざ》に座り、「おばちゃん、これ読んで」とキラキラした目で私を見上げました。膝も腰も農作業のせいで凝り固まり、指先で軽く押さえただけでも、痛たた……、と声を上げてしまうほどなのに、膝にかかる重みは痛さよりも、安心感を私に与えてくれたのです。

夕飯の支度をしている最中も、英紀は台所の椅子《いす》に座り、機嫌良く歌をうたっていました。その様子を見た憲子はとても驚き、しかし、感動したように私に言ったのです。

「すごいわ、お義姉さん。英紀がこんなに落ち着いているところを久しぶりに見た。やっぱり、子どもにはわかるのよ。お義姉さんが天使のように優しい人だってことが」

「あんたは気の利《き》いた言葉がすぐに出てくるからねえ。英くんも、口べたな分、あんたに気持ちをわかってもらえて嬉しいんだろうよ」

義母が言いました。田所家の人からまさかこんな褒め言葉が出るとは思ってもいませんでした。

私の存在をはなから否定しようとしているわけではない。英紀を通して、私の本質に気付いてくれたのだ。私が母から受け継いだものを認めてくれたのだ。

もしかして、今まで伝わらなかったのは、娘のせいではないだろうか。娘が義母に口答えなどせず、いかなる時も優しい笑みを湛《たた》えているような子であれば、義母の私に対する見方も違っていたのではないだろうか。

律子が出て行った原因が、私が娘を唆《そそのか》したせいだと、誤解を受けることもなかったのではないだろうか。

「私でよければ、いつでも頼ってね」

胸を叩《たた》いてそう言ったことを、とても後悔しています。

遠慮を知らない憲子は毎日、英紀を私のところに連れてくるようになりました。さすがに田んぼにまでは連れてこないのですが、農作業を終えて家に帰ると、待ち構えていたように英紀が駆け寄ってくるのです。服を着替えて夕飯の準備にとりかかるまでの、束《つか》の間《ま》の休息が取れなくなってしまいました。

英紀はこちらが要求に応じているうちは機嫌がよいのですが、ちょっと待ってね、などとこちらが要求すると、癇癪《かんしゃく》を起こします。憲子が夕飯の支度を手伝ってくれることはありません。娘は手伝ってくれるのですが、英紀は娘がいると機嫌が悪く、料理を盛り付けた皿をひっくり返したりするので、娘を離れにやることにしていました。

娘も律子の件以来、義母に口答えをすることはなくなり、憲子と英紀のことにも文句を言ったことはなかったのですが、敏感な英紀は、娘が気を許せるような子ではないことを感じ取っていたのでしょう。

私は娘以上に手をかけて、英紀の世話をしてやりました。

それなのに、憲子は私の妊娠を歓迎してくれなかったのです。

「何、その言い――」

「そういう言い方はないだろう。うちに跡取りができるんだから。それとも、英紀を跡取りにしようとでも思っていたのか？　まあ、次の代で田所家が終わってもいいなら、それもありだろうけどな」

娘の言葉をさえぎり、そう言ったのは田所です。田所が私のために親や妹に反論してくれたのは、後にも先にもこれだけです。それほどに、私の妊娠を喜んでくれていたのです。

「ひどい、お兄ちゃん。ねえ、母さん」

憲子が義母に助けを求めましたが、義母はしばらく黙っていました。

「英紀は森崎家の子だ。田所家の跡取りどころか、田所家の子でもない。大事な時期だ。私も田んぼにでなきゃいけないね。ああ、苦労なことだ」

厳しい口調でしたが、私は嬉しくて胸がいっぱいでした。

こんなことならもっと早くから、二人目を授かることを強く望めばよかった。

女の子だったらどうしよう、という不安はありませんでした。

男の子であれば、田所は喜ぶだろうし、義母も田所家の跡取りを産んだ嫁として、私のことをもっと受け入れてくれるでしょう。しかし、たとえ女の子であっても、私に幸せを与えてくれる子だという予感がしていたのです。今度こそ、私の気持ちに寄り添ってくれるような子が生まれてくるのではないだろうか。母のような……。

今日があの忌《い》まわしい日と同じ日付であることは、ただの偶然ではないのではないか。繋《つな》がりの強い親子は生まれ変わっても近い間柄になれる、と聞いたことがある。母が私の娘として生まれてきてくれるのではないか。そんなふうに。

私はお腹《なか》の子はきっと女の子だろうと確信しました。そして、名前も密《ひそ》かに決めていたのです。母の名前から一文字もらうのもいいけれど、「桜」というのはどうだろう。命を断とうと思った私を引きとめてくれた、母の魂の宿り木。夏に生まれるのにおかしいのではないかと反対されそうだけど、桜はただ春の花というわけではない。人を呼び、幸せを与えてくれる、誰からも愛される花ではないか。

お腹に手をあて、桜、と呼びかけると、母を亡くしてできた心の空洞に、ほのかな温かさを感じることができました。桜が空洞を再び満たしてくれる。


妊娠初期の不安定な時期とはいえ、高台の家にいたときのように一日中横になっていることは許されませんでした。しかし、稲刈りも八割がた終えていたところに、義母が田んぼに出てきてくれたため、どうにか乗り切ることができそうでした。

その間、憲子は田所の家から遠ざかっていましたが、田んぼが落ち着き、義母が家にいるようになると、再び、英紀を連れてやってくるようになりました。私に英紀を預けて、義母と二人で出かけることもよくありました。義母は、憲子に買ってもらった、とバッグや洋服を嬉しそうに私に見せてきました。憲子の夫が稼いだお金で買ったはずなのに、そんなことには気付きもしないのでしょう。

英紀を今後どのように育てるかということで、森崎家の人たち、特に義父母との溝は広がっていく一方らしく、夕飯時、憲子はいつも森崎家の悪口をここで全部吐き出してやるのだといわんばかりにまくしたて、義母も一緒になって盛り上がるのです。

英紀がその場にいるというのに。

「森崎家の人間は英紀の落ち着きのなさを、どうしてもうちのせいにしたいのよ。そちらのお兄さんはいい大学を出ているのに、それに見合った仕事をしていないのは、最初の職場で問題を起こしたからだって噂《うわさ》で聞いたけど、具体的にどんなことをしたの？　なんて聞いてくるのよ」

悪口は聞き流すようにしていましたが、これには私も耳を傾けました。田所の仕事については結婚する前から気になっていたことで、結婚後、遠まわしに訊《たず》ねたことがあったのですが、正義のために戦って自由を得た、としか答えてもらえず、学生運動に参加していたことがからんでいるのだろうと、深く追及せずにいたことです。

「本当に失礼な人たちだ。哲史に感謝している人たちがどれだけいると思ってるんだい。佐々木の娘なんて、うちに足を向けて寝られないって言ってるくらいなのに。何なら、わたしが森崎の家に行って説明してやろうか」

　義母は詳しいことを知っているようでした。

「やめといた方がいいわ。向こうはお兄ちゃんのことだけじゃなくて、律子のことまで言ってるんだから。お母さんの血管が切れちゃうわ」

「律子だって？　いったい、何て言ってるんだ」

「やくざものの男について家を出て行くなんて、普通の頭じゃ考えられない。少し足りなかったんじゃないか……」

　憲子が言い終わる前に、義母は両手を思い切り食卓に叩きつけました。湯呑《ゆのみ》がひっくり返り、それと連動するように、英紀が奇声を発しながら、皿を払い落としました。

「はっ、こんなサルみたいな声の上げ方、向こうの母親そのものじゃないか」

「ホント、まったく、そうだわ」

　自分たちにそっくりなことに、何故《なぜ》気付かないのか不思議でした。しかし、こんなことを口にすれば、火に油を注ぐようなものです。

　英紀が暴れ出すと、私でもなだめることができず、しばらくほうっておくしかありません。一度、娘が英紀の両腕をつかんだことがありますが、それを解こうと英紀が身をよじらせて泣くと、乱暴なことはやめてくれと、憲子が怒り出すのです。

田所は自分の皿をカラにすると、さっさと離れに引き上げていき、娘は早く帰れといわんばかりにまだおかずの残っている皿をさげて台所にこもり、私は英紀の気を落ち着かせるために、散歩へと連れ出すことになるのです。

桜のためにも早くからだを休めたいのに、とは思いながらも、英紀に手をしっかりと握られると、これが、今、私のやるべきことなのだと思えてきました。親がいるのに、愛されていないとは、何と不憫《ふびん》な子なのだろう、と。

「おばちゃん、ぼくのことすき？」

散歩の途中、英紀はいつもこう訊《き》いてきました。

「好きよ」

「なんばんめに？」

そう訊ねたあと、英紀は息を止めたまま私の目を見て、返事を待っていました。

「もちろん一番目よ」

そう答えると、ぷはっと息を吐き出し、嬉しそうに笑うのです。私にとって英紀が一番大切なはずがありません。しかし、いついかなるときも本心を口にしなければならないわけではありません。自分の気持ちよりも、相手が何を求めているかを考える。母に教わったことを、実践していただけです。

そうすることにより、お腹の中の桜も、慈愛に満ちた心を持つ子に育ってくれると信じていたのです。

あと一週間ほどで安定期に入るという頃、軽い出血があり、病院に行くと、お医者様から絶対安静を言い渡されました。それなら入院させてくれればいいものを、家でとにかく寝ていればいいと、その日のうちに帰されてしまったのです。

義母に伝えると、「まったく、やっかいなこった」と嫌味を言われながらも、出血が治まるまで離れで寝ていることを許してもらえました。幸い、翌日は土曜日だったため、家事は私に代わって娘がしてくれることになり、若干の心配を抱きつつも、田所の家にきて初めて、一日中、からだを横たえられることになったのです。

洗濯物はきちんと干せただろうか。食事の用意は初めてではないとはいえ、大丈夫だろうか。義母を怒らせるようなことをしていないだろうか。

布団《ふとん》の中でそんな心配をしていると、田所が離れに昼食を運んできてくれました。チャーハンともやし炒《いた》めでした。私が普段作ることのないメニューです。一緒に食べてくれるつもりなのか、二食分、盆に載っていました。チャーハンは茶碗《ちゃわん》を使って盛ったのか、平皿にこんもりとしたきれいな半球状でした。

「あの子、もやし炒めなんて、どこで覚えてきたのかしら」

「これは、俺が作ったんだ」

田所は少し照れたようにそう言って、布団の横に折りたたみ式のテーブルを広げて、皿を並べました。

「田所食堂、復活ね」

高台の家で田所が時おり昼食を作ってくれていたことを、喪失感と、この家での忙しさで忘れていたのです。

「あの子は？」

「ばあさんたちに……」

どうやら娘はきちんと役割を果たしてくれているようでした。これまでも、農繁期の週末の昼食は娘にまかせることがあったのですが、妹が生まれても、しっかりと私を手伝ってくれるのではないかと、改めて頼もしい気持ちになりました。

チャーハンはパラパラで油っぽくなく、もやしも薄味でシャキシャキと歯ごたえがよく、からだのだるさに反して、どんどん口に入れることができました。

父と姉の愛情が、私を通じて桜にちゃんと届いている。

病院に行って以来、出血も止まっていました。桜のために、皆が協力してくれている。この子が生まれたら、この家はもっと温かくなるだろう。私も心穏やかに過ごすことができるだろう。そう信じていました。

しばらくして、娘が温かい牛乳を入れたカップを持って、離れに戻ってきました。

「しっかり栄養をとってね」

そんな心遣いもできるようになったとは。

「ありがとう。ママ、本当に嬉しいわ。こんなにしっかりしたお姉ちゃんがいてくれて、赤ちゃんも幸せね」

そう褒めてやったのに、娘は厳しい顔をしたまま黙っていたのです。何が不満なのだろう。ふと視線を落とすと、食器洗いをしたせいなのか、娘の手は真っ赤で、指先の皮はささくれ、カサカサに乾いた手の甲には白い粉がふいていました。

「鏡台の引き出しからクリームを持ってきてくれない？　ピンク色の蓋《ふた》よ」

頼むと、娘は仏頂面《ぶっちょうづら》のまま立ちあがり、ハンドクリームの瓶を持ってきました。蓋を開けると桃の香りが広がりました。母が愛用していたもので、私も大好きな香りです。

「手を出して」

「え？」

娘は驚いたように目を見開き、そろそろと幽霊のように両手を差し出しました。その手を取ることに、少しだけためらいがありました。触れた途端、あの晩のように払われたらどうしよう、と。

恐る恐る手を取ると、娘はぴくりと肩を震わせましたが、手はそのままだったので、ほっとしました。ピンク色のクリームをたっぷりと指先に取り、乾燥した娘の手に丁寧に塗り込んでやりました。

「毎晩、食器洗いをしてくれていたのに、気付かなくてごめんね。ちゃんと、教えてくれなきゃ。お友だちと手をつなぐときも心配されちゃうし、赤ちゃんも撫《な》でられるとびっくりしちゃうわよ。そうだ、お小遣いをあげるから、自分用のを買ってらっしゃい。チューブ入りだと、学校にも持っていけるでしょ」

クリームを塗りながらそう言うと、娘は黙ったまま頷《うなず》き、そのまま俯《うつむ》いて自分の膝小僧の辺りをじっと見ていました。

わあ、嬉しいな。お母さん、ありがとう！　どんなのにしようかな。

私なら大喜びで母にそう言ったはずです。

張りとつやが戻った手に千円札を握らせると、娘は、いってきます、とだけ言って、出て行きました。愛想はないけれど、もっとはきはきと物を言う子だと思っていたのに、いつのまに、こんな陰気な子になってしまったのだろう。私はいついかなるときも、母が望むような子になろうと努力していたのに、どうして、娘は私の気持ちを汲《く》み取ろうとしないのだろう。

そんな不満が少しばかり込み上げてきましたが、桜が生まれれば、あの子も少しは変わるのではないかと思いました。桜はきっと、桜の花のように、周囲の人たちを明るい気分にしてくれるような子になるだろう、と。

しかし、桜の命はこの数時間後に、はかなく散ってしまうのです。

憲子が泣き叫ぶ英紀を離れに連れてきたのは、離れで一人、夕飯のとんかつを食べていたときでした。

玄関に出るなり、憲子は英紀の腕をつかんだまますり寄ってきました。

「お義姉さん、お願い。家の周りを一周してくるだけでもいいから、この子を散歩に連れて行ってくれないかしら」

その後ろから、娘が飛び込んできました。

「やめて。ママは寝てなきゃいけないってお医者さんに言われてるんだから。どうしてそれがわかんないの？」

「何よ、えらそうに。元はといえば、英紀はお昼にあんたと出かけてから、ぐずりだしたんじゃない」

　憲子が娘に言いました。その隙《すき》に、英紀が靴を脱いで上がってこようとしたときです。

「やめな！　この、バカ」

　娘が後ろから、英紀の頭をぶったのです。わが目を疑いました。英紀はギャッと声を上げて、靴を片方はいたまま私に飛びついてきて、さらに大きな声を張りあげて泣きました。

「ちょっと、何するのよ！」

　憲子が真っ赤になって娘を怒鳴りつけましたが、娘はきつい目をして憲子を睨《にら》みあげ、言い返しました。

「黙れ、バカ親。だいたいこんなときまでうちに来るなんて、頭おかしいんじゃないの？　ガツガツ食べて、昼寝して、また食べて。豚と同じ。今日の餌《えさ》はもうやったんだから、このバカ連れて、とっとと帰れ！」

　今度はわが耳を疑いました。私のからだを気遣ってくれていることはわかります。それを差し引いても、娘の口から出た言葉は、心を真っ黒に塗りつぶしてしまう汚いものでした。

どうして、いつの間に、こんな子になってしまったのだろう。幼い子に手を上げ、年長者に遠慮なく汚い言葉を投げつける。さらにひどい言葉が出る前に、どうにかしなければならないと思いました。

「いいわ。出血も治まったようだから、少し気分転換をしたいと思っていたところなの。英くん、おばちゃんと一緒にお散歩に行きましょう」

私はそう言って、外を歩けるようにパジャマの上から丈の長いコートを着て、英紀の手を引き、出て行ったのです。

家の近所を五分ほど歩いたら帰ろうと思っていました。英紀も少し歩くと泣きやんだので、こうして少し夜風に当て、すっきりとさせてやればよかっただけなのだ、と思いました。目を覆《おお》いたくなるような行動。耳を覆いたくなるような言葉。それらをかき消すかのように、星空がきれいで、私は英紀に「きらきら星」を歌ってやりました。

歌い終えると、英紀が足を止めました。

「おばちゃん、ぼくのことすき?」

いつもの質問でした。

「好きよ」

「なんばんめに？」

「もちろん一番目よ」

そう答えると満足するはずだったのに、英紀は顔を曇らせました。

「うそだ。ほんとうはあかちゃんがいちばんなんでしょ。おねえちゃんがいってたもん」

妊娠を打ち明けた席に英紀もいましたが、それがどういうことなのか、私からは教えていませんでした。憲子が話して聞かせていると思っていたのに、娘から聞いて初めて赤ちゃんの存在を知ったかのような口ぶりでした。

私はこのとき、どう答えればよかったのでしょう。赤ちゃんよりも英紀が一番好きなのだと、答えてやればよかったのかもしれません。しかし、赤ちゃんの存在を知った英紀は嘘を見抜き、信頼している私が本心を伝えなかったことに心を痛めるのではないかと思ったのです。だから、正直な気持ちを言ってやることにしました。

「そうよ、おばちゃんのお腹の中には赤ちゃんがいるの。まだ小さいけれど、元気に生まれてくるために、一生懸命がんばってるの。だから今、おばちゃんには赤ちゃんが一番大切。でも、英くんも大切。赤ちゃんが生まれたら、優しくしてあげてね」

「いやだ！」

英紀はそう叫ぶと、力一杯、私を突き飛ばし、暗い夜道を駆けていきました。追いかけることなどできませんでした。尻《しり》もちをついた瞬間、下腹に激痛が走り、股《また》のあいだから生温かいどろりとした液体が流れ出したからです。

それが桜だったのか、桜を包みこんでいたものなのかはわかりません。

目が覚めると、病院のベッドで、私のお腹の中にはもう桜がいなかったのですから、今となっては何であろうとどうでもいいことです。枕《まくら》もとに立っていた田所と娘は、ただ涙を流しているだけでした。一番つらいのは私なのに、私よりも先に泣いていたのです。

そのせいか、私の目からは一滴の涙も出てきませんでした。

桜を失い、私のもとに春が訪れることは二度とありませんでした。

どうして桜を失ってしまったのか。英紀のせいなのか。英紀が私をつきとばしたことを、私は黙っておくつもりでしたが、近くを通りがかり、救急車を呼んでくれた方が、英紀がつきとばすところも見ていたらしく、私が眠っている間に、田所家の人たちに伝えられてしまいました。

英紀が傷付いていたらどうしよう。憲子が気に病んでいたらどうしよう。……そんな心配、する価値もない人たちでした。

「おばちゃんに、ごめんなさいって言いなさい」

「いやだ！」

憲子と英紀のマヌケなやりとりが病院のベッドの横で一度あったきりです。

しかし、私の退院後、この親子が田所家を訪れることはありませんでした。私に対する罪悪感のためにではありません。

英紀が火傷《やけど》をしてしまったからです。

ボロボロになったからだで家に帰った私に、義母はいたわりの言葉をかけるどころか、烈火のごとく怒りながら詰め寄ってきました。

娘が天ぷら油で英紀に火傷を負わせた、というのです。あんたが流産したのは英紀のせいだと思って、あの子は仕返しをしたんだ。まったく恐ろしい子だよ、と。

そんなことをする子ではない、と庇《かば》ってやることはできませんでした。

幸い、火傷は手の甲に水膨れができた程度だったようですが、熱かったのか、痛かったのか、英紀はよほどのショックを受けたようで、ばあちゃんの家にはもう行かない、と言い切ったのだそうです。翌朝、いつものように憲子が英紀を車に乗せようとすると、泣き喚《わめ》き、ついには引きつけまで起こしてしまい、憲子はあきらめたのです。

それからふた月後、憲子の夫が大阪へ出ることになり、憲子と英紀も一緒について行きました。会社をたたみ、大阪にいる友人と新しい会社を立ち上げるということでしたが、どのような会社なのかはまったくわかりません。

どうせ、すぐに失敗して帰ってくるだろう。田所はあまり関心のない様子でそう言い、それを聞いた義母が「かわいそうな、憲子」と再び寝室に籠もるようになっただけです。どこがかわいそうなのでしょう。もともと憲子は義父母と折り合いが悪かっただけで、夫とはそれほど問題はなく、離れて暮らせることになり、せいせいしたことでしょう。

大阪のような都会なら、英紀のような子どもでも預かってくれる幼稚園があるはずです。

嵐《あらし》が去り、元の生活に戻ったというのに、元の生活にはなかった喪失感が私を覆い尽くしました。

私の大切な桜。

娘が英紀に赤ちゃんの存在を打ち明けるのが、もう少し遅ければ、と思うこともありました。安定期に入るのを待ってくれていれば……。そもそも、打ち明ける必要などなかったのです。

あの親子は田所家の人間ではないのですから。

とはいえ、神父様――。私は決して娘を恨んだりはしていません。桜を失い、私の子どもは正真正銘ただ一人になってしまったのですから。

母の血を未来へ繋いでくれるあの子を、大切に思わないわけがありません。

娘の回想

温かい手の記憶には、おばあちゃんにしても、母にしても、亨にしても、ごつごつとした感触が伴ってくるのだけど、ぽよぽよと柔らかい手が一人分だけ混ざっている。

その手からはいつもバターの香りが漂い、わたしを幸せな気分にしてくれた。夢の家で母が焼いてくれたホットケーキよりも、もっと濃くて甘ったるいバターの香り。

亨の二つ年下の妹、春奈《はるな》ちゃんの手だ。

手作りクッキーなんて、普通は女子から男子に渡すはずなのに、ある昼休み、亨はかわいらしいネコ模様の紙袋をわたしに差し出した。袋からはバターの香りが漂ってきて、中を開けると、桜の形をしたクッキーが入っていた。まさか亨が、と口に出す前に、これは妹が作ったものだ、と亨は早口で言った。

それをなぜ、わたしにくれるのかわからなかった。せっかくお兄さんに作ってあげたのに、それを別の女に渡されるのは、妹としてどんなふうに思うのだろう、とも考えてみた。けれど、一人っ子のわたしにはさっぱり想像がつかない。ふと、紙袋の折り目を見ると、鉛筆で「お兄ちゃんをこれからもよろしくお願いします」と書いてあった。どういう心境で書いたのか、さらにわからなかった。

ただ、とても仲のいいきょうだいなんだろうな、とは思った。

「最近クッキー作りにはまってるみたいで、毎晩大量に作ってるから、もらってやって」

そう言われて一枚口に放り込むと、甘くて、粉っぽくて、ネチネチして、懐《なつ》かしい味がした。これとよく似たクッキーにカレーがかかっていたことがある。

「なんか、いまいちだろ。捨てちゃっていいから」

「ううん。わたし、こういう味好きだよ。ありがとう、って言っといて」

亨はこの言葉をそのまま本人に伝えたらしく、それからは三日おきにクッキーをもらうようになり、ついには、できたてを食べてほしいと家に招待されることになった。初訪問は妹に招かれて、というのを亨は気に入らない様子だったけど、わたしはとても楽しみだった。

亨の家は何となく高台の家と似ているんじゃないかという予感がしたからだ。だけど、バスで訪れたそこは、高台ではなく海岸に近い平地だったし、こぢんまりともしていなかった。それなのに、やっぱり懐かしいような気がした。バスに乗っているときからそんな感覚になって、バス停に着き、迎えにきてくれた亨について歩きながら、さらにその気持ちは増していき、亨の家を眺め、そして、ぐるりと辺りを見渡して、思い出した。

おばあちゃんの家はこの辺りではなかったか、と。

まだ夢の家に住んでいた頃、母とおそろいの服を着てバスに乗り、おばあちゃんの家に行っていた。並んで座って、おばあちゃんとどんなお話をするかと相談しているうちに、海が見えてくる。バス停に降りると、母が、ケーキを買って行こっか、と言い、わたしは手を叩《たた》いて喜んだ。

「バス停から亨の家と反対側に進んで、最初の角をまがったところに、ケーキ屋さんってある？」

そう訊《たず》ねると、どうして知っているのかと驚かれ、やはりそうだったのだと確信した。おばあちゃんの家がこの近くだったことを伝えると、行ってみる？　と言ってくれたけど、心の準備ができなくて、次回にまわしてもらうことにした。

亨の家では春奈ちゃんが水玉模様のエプロンをつけて待っていた。そういえば、わたしはエプロンをつけたことがない。両親は泊まりがけで親戚《しんせき》の家に出かけているらしく、亨はどうしておまえもついて行かなかったんだ、とわたしがいるにもかかわらず、春奈ちゃんの前でぼやいていた。

いなかったら何するつもりだったの？　と、これまた大きな声で返す春奈ちゃんは、名前の通り、桜形のクッキーの通り、ピンク色のふわふわとした空気を全身にまとっているような女の子だった。大切にされてきたんだろうな、と感じるような。

こっちこっち、と台所まで柔らかい手で手を引かれても、同級生の女子たちのように鬱陶《うっとう》しいとは思わなかった。ずっと前にも握られたことのあるような、少し鼻の奥がツンとなりそうな感触だった。

春奈ちゃんは最初、全部自分が作るとはりきっていたけれど、亨が「じゃあ、部屋にいるから出来たら呼んで」と言うと、みんなで一緒に作ろうと提案した。調理実習以外でお菓子を作るのは初めてだった。しかし、難しい作業ではない。小麦粉とバターと卵と砂糖を混ぜて、こねて、平らにのばす。

「もっとかわいい型がほしいのに、うちにはこれしかないの」

春奈ちゃんは二種類の花型を出してきた。煮物を作る際によく用いられる型抜きだ。

「こっちでいい?」桜は春奈ちゃんのお気に入りなのか、もう一つの方を渡された。

「わたし、桃、好きだよ」

「え、梅じゃないの?」

二人でそんなやりとりをしながら、花型に生地を抜いていると、仲間外れの亭は竹《たけ》串《ぐし》を出してきて、するすると小鳥の形にくり抜いた。目と羽の模様まで描いている。

かわいい、と春奈ちゃんが声を上げ、次はネコを作ってほしいとリクエストした。

仕方ねえな、とネコの形にくり抜いている亭を見ながら、きょうだいっていいな、と思った。

もしも、わたしにもきょうだいがいたら、今ほどに、母の愛情を求めていただろうか。こちらを向いてほしい、と願っただろうか。わたしが母を守らなければ、と誓っただろうか。

母にはわたし以外にも大切な存在があるのだから、わたしに与えられる愛はこれくらいで充分なのだと納得できただろうか。そして、満たされない部分をきょうだいで補い合い、楽しく過ごしていただろうか。

お姉ちゃん、宿題教えて。お姉ちゃん、一緒に遊ぼう。お姉ちゃん、お料理作って……。そんなふうにわたしを求めてくれる子がいたら。

もし、あの子が無事生まれていたら——。


小学六年生の秋、あの台風からちょうど六年後、母屋《おもや》での夕飯の席で、母は家族に妊娠していることを告げた。

一人っ子はクラスに三人程度で、ほとんどの子にきょうだいがいるにもかかわらず、わたしは自分にきょうだいができることを考えたことはなかった。たまに父から、弟が欲しくないか、と言われることがあったけれど、それすら、母が産むのではなく、どこかからもらってくることのような気がして、別にいらない、とそっけなく答えていた。

夢の家がなくなってからの同じ質問には、訊《き》かれること自体を拒否していたところもある。きっと、わたしは恐れていたのだ。きょうだいができたら、わたしなどもう、必要とされなくなるのではないか、と。

それに加えて、父のもう一人の妹、憲子おばさんが息子の英紀を連れて毎日我が家を訪れるようになってからは、年下の子どもなど、鬱陶しいだけの存在となってしまっていた。

英紀は四歳で、幼稚園に通える年齢なのに、憲子おばさんは英紀を登園させるように、朝八時に車で我が家にやってきた。英紀はその年の四月に幼稚園に入ったものの、五分も席に座っていられないし、些細《ささい》なことで癇癪《かんしゃく》を起しては、物を壊したり、周りの子たちにケガを負わせたりするということで、ひと月でやめてしまったのだ。

憲子おばさんは、りっちゃんの家出と祖父の死というショックが重なり、具合が悪くなった祖母を、娘としてほうっておけないという大義名分をかざしながら、当たり前のように訪れていたけれど、そうではないことはすぐにわかった。

憲子おばさんの嫁ぎ先は、隣町の立派な家ということもあり、英紀のことでそこの家の人たちから厳しく責められ、それが原因でのぼせたり、頭痛が続くようになったりして、療養のために里帰りしているのだ。と、祖母が恥ずかしげもなく大声でそう言ってたのだから、間違いない。

「憲子は本当にひどい扱いを受けているんだよ。森崎家のヤツらは憲子を人間扱いしていないんだから」

祖母はさも不憫《ふびん》そうに言うけれど、まるまると太り、ささくれ一つない指に真っ赤なマニキュアを塗っている憲子おばさんがそんな扱いを受けているとは、わたしには信じられなかった。盆と正月にだけ挨拶《あいさつ》に来るおじさんはおとなしくて優しそうな人だ。

おまえの方が母を奴隷《どれい》のように扱っているではないか、と喉元《のどもと》まで出かけたけれど、りっちゃんの件以来、わたしが気に入らない態度を取ると、その数倍の仕返しが母に行くことがわかってからは、ぐっと言葉を飲み込むようにしていた。

この頃から、父が黙っている理由が少しわかってくるようになったのだけど、黙り続けていればいいとも思っていなかった。

週末に家族全員で田んぼに出ている頃は、昼食は母がお弁当を作り、父やわたしが行かない場合は、二人でラーメンなどを作って食べていたけど、祖母が家に籠《こ》もるようになってからは、わたしが家に残り、昼食の支度をしなければならなくなった。

「できるものでいいから、お願いね」

母に頼まれたのだから、最初ははりきっていた。オムライスやチャーハンを作っておけば、祖母も父も、おいしいとは言わなくても、文句を言わずに食べていた。けれど、憲子おばさんが来るようになってから、食事に関して、祖母は面倒な注文をつけるようになった。

「憲子はね、森崎の家で食べたい物も自由に食べさせてもらえないんだ。あの子は揚げ物が好きだから、今度からそういう料理を作るんだよ」

森崎家の人は、英紀の肥満を心配して、そういうメニューを憲子おばさんに作らせないようにしていたのではないかと思う。英紀はパツパツに太り、年齢を知らなければ、小学三年生くらいに見えた。多分、わたしよりも体重は重かったはずだ。じゃあ、おばさんが自分で好きなものを作ればいいのに、と少しばかり謙虚に言ってみた。

「バカなことを。嫁いでいった娘はもうこの家の人間じゃない。お客様なんだ。なのに、台所に立てっていうのかい。おまけにあの子は病気だというのに。まったくよくそんなことを平気な顔して言えたもんだ。恐ろしい子だよ、おまえは」

恐ろしい子だよ、おまえは。りっちゃんが出て行ってから、祖母はよくこの言葉を使うようになった。恐ろしいのはりっちゃんの方だ。バカのふりをして、わたしを利用したのだから。

それでも、わたしは天ぷらやから揚げを作っていた。憲子おばさんはそれを当然のように食べ、英紀のためにウインナーの天ぷらも作っておくようにと、えらそうに指示まで出した。

憲子おばさんは食事のあとは居間でごろごろとテレビを見て、母が作った夕飯を食べて帰る。英紀がいたらゆっくり休めないからスーパーにでも連れて行ってくれ、と三百円渡されて、仕方なく英紀を連れて行くと、英紀は三百円分以上のおかしを欲しがった。ダメだと言うと、スーパーの床に背中をこすりつけながら泣いて暴れたけれど、頭をはたき、一人でそうしてろ、と背中を見せると、ぐずりながらもあきらめてついてきた。

英紀は怒られたことがないのだ。

帰ってきた英紀がぐずっているのを見ると、憲子おばさんはわたしを責めた。

「あんたにとっちゃ、弟みたいなものでしょ。どうして、優しくできないの」

できるわけがない。やる義務だってない。本当は顔も見たくないほど憎いのに。

英紀は母が大好きで、べたべたと甘え、毎晩のように散歩に連れ出してもらっていた。手をつなぎ、膝《ひざ》に乗り、母に頭を撫《な》でられる。そうしてもらえることを当たり前のように思っている。自分はこの人から愛されている、と信じ切っている。

こんなサル以下の動物でも、小さな子どもというだけで、まったく血の繋《つな》がらない母から愛情を受けているのだ。もしも、血の繋がった子どもができたら……。

だから、母の口から「赤ちゃん」という言葉が出たときは、心臓をひゅっとつかまれたような気分になった。なのに、祖母と憲子おばさんが母に嫌味を言うと、嫌悪感《けんおかん》がこみあげてきた。どうして喜んであげないのだ、と。そして、気付いた。母にとっては嬉《うれ》しいことなのだ。ならば、わたしは喜んであげなければ。わたしが守ってあげなければ。母と赤ちゃんを――。

しかし、反論したのは父だった。憲子おばさんの悔しそうな顔を見て、胸の内で万歳をしたほどだ。これほど父を頼もしく感じたことはない。あのときの父は確実に、家族を守っていた、と言えるのではないか。煙草《たばこ》の数も減った。それを指摘すると、ばあさんが買い置きしなくなったからな、とそっけなく言われたけれど、本当は赤ちゃんのためだったはずだ。

母の妊娠を機に見直したのは、父だけではない。祖母が農作業に出始めたのだ。父が言った「跡取り」という言葉が響いたのだろう。わたしが男だったら、この家での対応も少しは変わっていたのかもしれない。けれど、自分も女のくせに女を大切にできない人など、人として欠陥があるとしか思えないし、そんな人に甘やかされるのは、逆に迷惑なだけだ。しかも、この家の外はそれほど男女不平等ってわけでもない。

それでも、母が少しでも楽をできるのは嬉しかった。

「お姉ちゃん、協力してね」

母はわたしにそう言ってくれた。お姉ちゃん。多分、あのときが一番、母がわたしを必要としてくれ、わたしという存在を受け入れてくれていたのではないだろうか。

わたしは週末の昼食だけでなく、夕飯の手伝いもしたし、食器の後片付けも、風呂《ふろ》掃除も、洗濯もするようになった。そんな中で一番の不満はやはり、相変わらず憲子おばさんが英紀を連れてきていることで、母はつわりで苦しんでいるのに英紀の散歩を頼んだり、夕飯に揚げ物を作らせたりするのを、見ているだけで怒りが込み上げてきた。

それでも、文句を言わずに耐えていた。母のために、赤ちゃんのために。

あの日もだ――。


妊娠中はずっと安静にしておかなければならないと思っていたけれど、安定期に入れば、普通に生活できることを母から教わった。寝ているよりも、むしろ、無理をしない程度に家事や仕事をしたり、歩いたり体操をしたりしている方が母体にも赤ちゃんにもいいのだという。

その安定期にあと一週間くらいで入るというときに、母は医者から絶対安静を言い渡された。幸い、週末だったため、わたしは家事を全部引き受けることにした。

「お姉ちゃんが一番の頼りだから」

母は離れの寝室で布団《ふとん》に横になったまま、そう言ってくれた。一番の頼り。その期待に応《こた》えて母に喜んでもらおう、と母屋に向かうと、そんな日でも憲子おばさんは英紀を連れてきていた。居間でこたつに寝そべり、祖母と一緒にテレビを見ていた。

英紀は、おばちゃんのところにいく、と何度か言ったけれど、それぱかりは憲子おばさんも「おばちゃんは病気だからダメ。うつっちゃうわよ」と適当なことを言いながら、お菓子を大量に与えて引き留めていた。

昼食の準備をしようと、まずはチャーハンを作っていると、台所の勝手口から父がやってきた。

「一人じゃ大変だろ」

そう言って、冷蔵庫の中を物色し始めた。もやしと豚肉を出し、豚肉を小さく刻む。フライパンを出してごま油で手早く炒《いた》め、塩コショウとウスターソースを適当にふりかけると、完成だった。五分もかからなかったはずだ。

「食ってみるか？」

菜箸《さいばし》でつまんだもやしと豚肉が口の前にあり、ぱくっとかみついた。

「おいしい！」

そういえば父は料理が得意だった、と田所食堂を思い出した。夢の家での楽しかった食事の時間だ。

「俺が作ったってバレたら、おまえがばあさんに怒られちまうからな。あっちで食うよ」

父は小声でそう言うと、二人分を皿にとり、チャーハンの皿と一緒にお盆に載せると、こそこそと出ていった。内緒で栄養ドリンクを飲ませてくれていたときとよく似た言い方で、わたしは父のこういうところが好きだったのだ、と思い出した。それなのに。

食卓に並べたチャーハンともやし炒めを見て、憲子おばさんは不満そうな声をあげた。

「これだけ？　メインディッシュは？」

「もやし炒めだけど」

「はあ？　バカにしないで。ちょっと、母さん！」

呼ばれた祖母はもやし炒めを見ると、額に青筋を立てて怒り出した。

「何だい、これは。こっちはさんざん気を遣ってやってるのに、こんなものを作らせるなんて。ひと言いってやらなきゃ、図に乗るだけだ」

祖母はわたしが母からこれを作るように言われたと思ったようだ。

「待って。これはわたしが勝手に作ったの。手抜きしてすみませんでした。今からもう一品作るから」

わたしは台所に戻り、から揚げを作った。食卓に運ぶと、憲子おばさんも祖母もさんざん文句を言っていたもやし炒めをぺろりとたいらげていた。わたしのもやし炒めはすっかり冷めていて、電子レンジで温め直したものの、もやしの水分がすっかり抜け出してしまい、父が口に入れてくれたときのような味も歯ごたえもなくなっていた。

食い散らかした食器を片づけた後、母にも栄養が足りなかったかもしれないと思い、牛乳を温めて離れに戻った。母がからだを起こしている布団の横のテーブルにカップを置き、わたしもそこに座った。

「ありがとう。ママ、本当に嬉しいわ。こんなにしっかりしたお姉ちゃんがいてくれて、赤ちゃんも幸せね」

母に優しい言葉をかけてもらえることが嬉しくて、涙がこみあげてきた。祖母や憲子おばさんに何を言われたっていい。でも、ここで泣いてしまうと、母屋で何か辛《つら》いことがあったんじゃないかと母に心配させてしまうので、歯をぐっとくいしばって涙がこぼれるのをこらえた。

ママはゆっくり休んで、元気な赤ちゃんを産んでね。

本当はそう言いたかったけれど、言ってる途中で泣いてしまいそうで、結局、言葉は一つも出せないままだった。黙っているわたしに母はハンドクリームを持ってきてほしいと言った。自分で塗るのだと思っていたら、手を出して、と言われ、わたしは耳を疑った。

どういうことだろう。物乞《ものご》いみたいに見えないように両手の甲を上に向けて出すと、母はクリームをたっぷりと手に取り、わたしの手を包み込むようにして、優しく塗り込んでくれた。

「毎晩、食器洗いをしてくれていたのに、気付かなくてごめんね。ちゃんと、教えてくれなきゃ。お友だちと手をつなぐときも心配されちゃうし、赤ちゃんも撫でられるとびっくりしちゃうわよ」

そんなふうに言いながら、ささくれた指先にも丁寧に一本ずつクリームを塗ってくれた。桃の花の香りに包まれながら、まぶたの際《きわ》まで盛り上がった涙がこぼれないようにするのに必死だった。ずっとずっと焦《こ》がれていたことがふいに叶《かな》った嬉しさが八割、母の手がわたしの知っているすべすべとしたなめらかな手ではなく、木の幹のようなごつごつとした手触りになっていることへの悲しさが二割、そんな涙だったはずだ。

このまま時間が止まってしまえばいいのに。だけど、これからはこんな時間が少しずつ戻ってくるのかもしれない。

そんな期待は半日ともたなかった。

母はわたしに自分用のハンドクリームを買うためのお小遣いをくれた。

桃の花の香りにしようか、いや、それは母が塗ってくれるのだから、別の香りにした方がいいかもしれない。ぶどう？　オレンジ？　待て待て、香り付きのリップやハンドクリームは学校に持ってきちゃいけないって先生が言ってなかったっけ。

そんなことを考えながら、離れを出ると、英紀がやってきた。

「どこ行くの？」

「スーパー、あ、いや……」

薬局だと言えばよかったと後悔したけど遅かった。英紀は自分も行きたいと言い出し、離れの前で騒がれても困るので、仕方なく連れて行くことにした。だけど、英紀はいつもよりはおとなしかった。大好きなおばちゃんが病気だと言われ、英紀なりに心配していたようだ。

水玉模様のチューブに入った無臭のハンドクリームを買い、おつりで英紀にもお菓子を買ってやり、家に向かった。英紀が手をからめてきたのをふりほどくと、英紀はわたしのジャンパーのすそを握って、とぼとぼとついてきた。

「おばちゃん、どこがいたいの？　あたま？　おなか？　ねつがある？　いつなおるの？　あした？」

不安そうな顔で訊いてくる英紀を見ていると、この子はちゃんと母を心配してくれているのだとわかり、意地悪な態度を取ったことを少し後悔した。

「おばちゃんは病気じゃなくて、おなかに赤ちゃんがいるの。知ってるでしょ。赤ちゃんが元気に生まれてくるように、ゆっくり休んでるんだよ」

「あかちゃん、あかちゃん……。おばちゃんはあかちゃんがすき？」

「そりゃあ、好きよ」

「何番目に？」

「一番に決まってるでしょう」

一番、と声に出すと、少し寂しくなったけれど、年下のきょうだいがいる子はみんなこんな気持ちを通過したのかもしれないな、と思った。英紀は自分なりに解釈しようとしているのか、眉毛《まゆげ》を寄せたり、まばたきを繰り返したり、口をもごもごさせたりと、おかしな百面相をしていた。

「だから、あんまりおばちゃんおばちゃんってまとわりついちゃダメだよ。わかった？」

英紀はおかしな顔のまま、黙って頷《うなず》いた。この子は時間はかかるけど、こちらがペースを合わせてやれば、ちゃんと理解することができるのかもしれない。そう信じて、家まで手を繋いで帰った。なのに。

まったく理解などできていなかったのだ。

しばらく昼寝をしたあと、英紀は突然、火が付いたように泣きだした。なだめる憲子おばさんの髪をひっぱり、顔をひっかき、祖母のわき腹に蹴《け》りを入れ、おまけに床の間の掛け軸を破りと、大暴れだった。

「ちょっとあんた、英紀に何したのよ」

憲子おばさんは台所まで乗りこんできて、夕飯の支度をしているわたしを責めたけど、まったく覚えはなかった。わたしといたときは普段よりおとなしくしていたのだ。きっぱりとそう伝えているうちに、英紀の癇癪《かんしゃく》も治まった。

ただ、ほっとできるのはほんの十分、二十分くらいで、おとなしくテレビを見ていたかと思えば、突然金切り声をあげて暴れ出したり、食事の最中も、グラスをひっくり返したり、食卓に並べたおかずにつばを吐き散らしたりと、野生のサルが暴れているかのようだった。

「おばちゃん、おばちゃん、おばちゃん！」

これが普段の英紀なのかもしれない。これまでは、幼稚園をやめなければならないほど酷《ひど》いとは思ってなかったけど、この家では大好きなおばちゃんがいるからかなり抑えられていたのだということがわかった。憲子おばさんが英紀を毎日ここに連れてきたい気持ちも理解できなくはないけれど、今日ばかりは絶対にダメだ。

ポカンと一発はたいて、怒鳴りつけてやればおさまりそうなものの、憲子おばさんも祖母も、これは悪夢なのだといわんばかりに目をそむけ、放置している状態だ。

英紀は母のところへ行きたがった。

「だから、今日はダメって言ってるでしょ」

憲子おばさんはそうやってなだめていたから安心して、食器の片付けをしていたのに、玄関の引き戸が開く音がした。

「こら、もう、英くん、待ちなさい」

憲子おばさんの声がしたけど、英紀を引き留めようという気などまったくないような言い方だった。洗いものを中断し、あわてて二人を追い掛けると、案の定、二人は離れへと入っていき、憲子おばさんは母に英紀を散歩に連れていってほしいと頼んでいた。

母が断れないとわかって言っているのが、許せなかった。

そんなことをさせてたまるか。

「やめな！　この、バカ」

靴を脱ごうとする英紀の頭を後ろから強くはたいてやった。だけど、英紀はスーパーでのようにはおとなしくならず、靴のまま上がり、母に泣きついた。憲子おばさんがわたしを責めたけど、わたしは何も間違ったことはしていない。

こんなバカな大人と少しでも血が繋がっているのが情けなかった。でも、血が繋がってるからこそ言ってやれるんだ、とわたしは憲子おばさんに向き直った。

「黙れ、バカ親。だいたいこんなときまでうちに来るなんて、頭おかしいんじゃないの？　ガツガツ食べて、昼寝して、また食べて。豚と同じ。今日の餌《えさ》はもうやったんだから、このバカ連れて、とっとと帰れ！」

それでも、憲子おばさんは、田所家の人間は、自分が悪かったのか、と思うような人ではない。怒りで顔は真っ赤になり、何か言葉を振り絞ろうとしていた。

でも、その前に、母は英紀を散歩に連れて行くと言った。

ものすごく悲しそうな顔をしているのを見て、もしかして、母は憲子おばさんや英紀に怒っているのではなく、わたしを責めているのではないか、と思った。英紀を叩いたし、母の嫌いな汚い言葉を使った。だから、わたしも散歩について行くと言えなかった。

母が英紀を連れて出て行ってから、しばらくして、英紀だけが大泣きしながら帰ってきた。母はどうしたのかと問い詰めようとした矢先、近所の人から電話があった。母が転んで出血をしているから、救急車を呼んだ、と。

わたしは家を飛び出した。思いきり走りながら自分を責めた。憲子おばさんと英紀をどうして止めることができなかったのだろう。どうして、母と英紀を散歩に出してしまったのだろう。どうして、隠れながらでもいいからついて行かなかったのだろう。

母と赤ちゃんをわたしが守る、と誓っていたのに。

どうして、どうして、どうして——。

だけど、今こうして思い返していても、あのときどうすればよかったのか、わからない。英紀を穏やかな言葉で引きとめればよかったのか。憲子おばさんを丁寧な言葉で説得すればよかったのか。母屋で英紀をしっかりと見張っていればよかったのか。母屋で怒鳴りつけてやればよかったのか。縄でしばりつけていればよかったのか。

あの日、すぐに二人を追い返してやればよかったのか。

母が流産した翌日も、憲子おばさんは英紀を連れてきた。父は憲子おばさんに、どの面《つら》下げてきたんだ、と吐き捨てるように言っただけだ。それでも、そのときはシュンとした顔をしていたので、この人なりに反省はしているのだろうと思っていたのに。

昼食の支度に、台所で天ぷらを揚げていると、居間から憲子おばさんの声が聞こえてきた。

「何よ、お兄ちゃんのあの態度。まるで英紀のせいでお義姉《ねえ》さんが流産したような言い方じゃない。最初に出血した時点でもうダメだったのよ」

からだじゅうの血液が逆流するような感覚だった。

「あんたが死ねばよかったんだ！」

居間に飛び込み、そう言って振り上げたのが、菜箸ではなく包丁だったら、わたしは憲子おばさんを殺していたかもしれない。だけど、背後から、包丁で刺されたかのような叫び声が聞こえてきた。

勝手に台所に入ってきた英紀が天ぷら油に手を突っ込んだのだ。ウインナーの天ぷらを油の中に放置したままだったのを、英紀は手で取ろうとしたらしい。火は止めていたけれど、相当熱かったようだ。

イタイ、イタイ、とわめく英紀の手を氷水に浸してやりながら、耳元で憲子おばさんたちに聞こえないように言ってやった。

「死んだ赤ちゃんも、おばちゃんも、もっと痛かっただろうね」

翌日から、憲子おばさんと英紀は来なくなり、数ヶ月後、おじさんと三人で大阪に引っ越していった。母を苦しめる人たちはいなくなった。だけど。

母がわたしの手にハンドクリームを塗ってくれることは二度となかった。

たった一人のきょうだいを守れなかったのだから仕方ない。

でも、もし、母がこの罪を許してくれるのなら、桃の香りのハンドクリームをもう一度この手に塗ってほしい。

いや、堅く節くれだったこの母の手に、今度はわたしが塗ってあげたい。

＊

ああ　苦しみの風景のうえに重たく垂れさがっている

涙でいっぱいのひとよ　じっと怺《こら》えている空《そら》よ
彼女が泣くとき　おだやかな夕立が
斜めに走ってゆくのだ　心の砂層をかすめて

ああ　涙で重たいひとよ　あらゆる涙をのせた秤《はかり》よ
晴れ渡っていたために　自分を空《そら》と感じはしなかったのに
いまは宿している雲のために　空であらねばならぬひとよ

単一な　厳しい空のもとで　お前の苦しみの風土が
なんとはっきり　なんと近く見えて来ることだろう　まるで
垂直な世界と向いあって水平にものを考える
横たわっていながら　おもむろに目覚めた顔のように

第五章　涙の壺《つぼ》

母性について

母親の証言の載った新聞記事のコピーを見せても、国語教師は首をかしげていた。

「これのどこにひっかかる、ってんだ？」

「愛能《あた》う限り、って何なんでしょうね」

「そりゃ、おまえ。大切に育てましたってことじゃないのか？」

国語教師はこの言葉に違和感を抱かないようだ。

「じゃあ、そう言えばいいのに」

「でも、そんなに難しい言葉ってわけでもないぞ」

喉《のど》の奥に小骨が刺さったような感覚をどう伝えればいいのだろう。りっちゃんが出してくれた肉じゃがをつまむ。それほど手の込んでいないこの料理が、家庭的な女をアピールするのに用いられるのはなぜだろう。愛能う限り、という言葉は、おふくろの味、と同じグループに属するだろうか。

「例えば、肉じゃがやさばの味噌煮《みそに》といった手料理を毎日作っている人に、普段子どもにどんな物を食べさせていますか？　と聞いて、おふくろの味を食べさせています、なんて答えるでしょうか。多分、そういう人は、普通のものですよ、って言い方をするんじゃないかと思うんです。片や、インスタント食品とか、酷《ひど》い場合は、三食ろくに食べさせていない親に限って、同じ質問をされた場合、おふくろの味とか、子どものために栄養バランスのとれたメニューを、なんて答え方をするんじゃないでしょうか」

「つまり、おまえが言いたいのは、後ろめたい思いがあるからこそ、大袈裟《おおげさ》な言葉で取り繕っているんじゃないか、ってことだな」

「そうです」

どうやら伝わったようだ。

「なら、最初からそう言えばいいじゃないか」

「先生の場合、食べ物に置き換えた方が理解してもらいやすいかと思って」

「まあ、確かに、愛なんてのは、説明しにくい言葉だな。りんごやみかんのように、色や形や大きさで表すことができりゃラクだろうよ。近頃の果物には糖度なんていう、甘さを示す数値まで表示されているしな」

「真っ赤で、左右バランスのとれたハート形、両手に抱えきれない大きさで、甘さはマックスの一〇〇、って感じですか？ 確かに、見えると便利ですね」

「いや、やっぱりダメだ。嫁のハートが年々色あせて、しぼんでいくのがわかるんだぞ。おまけにこっちがしぼんでいくのを見られたら、こっぴどく文句を言われるに決まってる。愛なんて見えなくて結構。むしろ、見えないからこそ、世の中それなりに成り立っているんだ。そう考えてみりゃ、愛能う限り、なんて敢《あ》えて口に出す言葉じゃないな。胡散臭《うさんくさ》さまで漂ってきたぞ。この母親が娘の殺人容疑をかけられていて、弁明のために言ってるなら納得もできるが……。まさか、おまえはその可能性を疑っているのか？」

くだらないことを並べながら、ふいと核心をついてくる。賢そうなことばかり口にしている人は頭がよく、バカ話ばかりしている人は頭が悪い、と決めつけてはいけないことくらい、小学生ではあるまいし、わかりきったことなのに、やはり、イメージだけで判断していたようだ。心の中で、すみません、と謝っておく。

「そこまでは思っていません。ただ、この母親と娘の関係が気になるだけです」

「じゃあ仮に、この親子の関係を調べて、娘がアパートの部屋から転落した原因は、事故にしろ、事件にしろ、自殺にしろ、母親に関係があるとわかったとする。で、おまえはどうするんだ？　まさか、好奇心だけで調べて、結果がわかれば満足。当事者たちがどうなろうと自分には関係ないなんて……、思うようなタイプじゃないよな。警察に相談しに行くのか？」

「いいえ、警察なんて考えていません。もしかすると、二人の関係を知るだけで満足なのかもしれない。でも、できれば当事者に会って、話してみたいとは思います」

言いながら、何について話したいのだろう、と考えてしまう。愛について か。いや、愛を求めることについてだ——。

母の手記

神父様に対して「神」という文字を使うにはやや抵抗がありますが、世の中、「家族」という言葉を神聖化しすぎなのではないかと、私は思います。家族こそが強い絆《きずな》で結ばれており、いざというときに助け合える存在なのだ、など、どこの家庭を例にとって言っているのでしょうか。

耐えがたい不幸に見舞われた私に、田所家の誰が温かい言葉をかけてくれたというのでしょう。手を差し伸べてくれたというのでしょう。

桜を失い、再び心が空っぽになってしまった私を救ってくれたのは、中峰敏子《なかみねとしこ》さんという女性です。血も繋《つな》がっていない、家族という縛りもない、あかの他人です。友人でもありませんでした。ただのご近所さん、英紀に突き飛ばされた際、救急車を呼んでくれた方です。本来ならこちらからお礼に伺わなければならないのに、敏子さんは田所家の離れまで、私を見舞いに来てくれました。大つぶのぶどうを持って。

敏子さんとはそれまでも、婦人会の集まりなどで顔を合わせたことはあり、おおらかで優しそうな方だという印象を持っていましたが、一対一で向き合うのは初めてでした。その程度の関係の人が私の手を取り、包み込むように握りしめ、辛《つら》かったでしょうね、と涙を流してくれたのです。私のために。

自分も子どもを失ったことがあるのだ、と。

子どもを守れなかったと自分を責めてはならない、と。

押しつけがましさのない、そっと寄り添ってくれるような深く静かな声で、優しい言葉をかけてくれました。敏子さんの手のぬくもりと温かい言葉は、私の中に少しずつ染《し》み込んできて、心を満たし、私は桜のために初めて、声を出して泣くことができたのです。私の震える背を敏子さんは静かに撫《な》でてくれました。

姉がいたら、こんなふうなのかしら。

親とも友人とも違う愛情を注いでくれる人でした。あの晩、通りがかったのが敏子さんだったことは偶然なのだろうか。桜が命とひきかえに、私と敏子さんを結びつけてくれたのではないか。そんなふうに思いました。

敏子さんはおはぎなどの手作りのお菓子をたまに届けてくれるようになりました。

離れに客用の座布団《ざぶとん》はなく、私が縫ったものを出していたところ、あるとき、敏子さんは刺繡《ししゅう》を見て手作りだということに気付き、自宅で週に一度開いている手芸教室に、私を誘ってくれました。前から声をかけようと思っていたけれど、義母に遠慮していたのだそうです。

「田所家のお屋敷に軍手で作ったぬいぐるみや空き瓶で作った人形なんて置いてたら、大奥様に叱《しか》られるんじゃないかと思って」

敏子さんは母屋《おもや》の方を窺《うかが》いながら、声を潜めて言いました。田所家が外からそんなふうに見られていることなど、すっかりと忘れていました。

農業での収入は、私一人が作業をするようになっても、義母に全部渡していました。私にお金が払われたことは一度もありません。使用人ではなく家族だから当然だ、と言われれば、何も反論することはできませんでした。田所の給料は下がっていく一方で、贅沢《ぜいたく》とはほど遠い生活を送っていました。田所と同じ鉄工所に勤務している人は近所にもたくさんいましたが、お寺への寄付や、親戚《しんせき》の冠婚葬祭に包むお金など、見《み》栄《え》をはったつき合いをしないでいい分、余裕のある生活を送っているのではないかと思っていたほどです。

しかし、敏子さんがいくら話しやすい人だとはいえ、家計のことまで打ち明けることはできません。お金がない、と口にするのは、世の中で一番恥ずかしい行為です。

義母に対する敏子さんの懸念《けねん》は数年前なら当たっていたかもしれません。週に一度、火曜日の午後八時から十時までのたった二時間とはいえ、趣味のために家をあけることを、義母は快諾してはくれなかったでしょう。食事の片付けはどうするのだ、風呂《ふろ》はどうするのだと、自分がやりもしないことを持ち出してきたはずです。

しかし、そういったことは娘ができるようになっていました。そのうえ、憲子が去り、義母は再びふさぎ込むようになっていました。二時間ほど婦人会の集まりがある、と伝えると、ああそうかい、と興味のない様子で返事をするだけだったのです。

手芸教室はとても楽しかった！　敏子さんの家の居間に同じ町に住む主婦たちが五、六人集まり、おしゃべりをしながら手芸品を作るのです。材料費は毎回三百円で、敏子さんがまとめて注文してくれていました。

初めて参加した日は鉛筆立てを作りました。牛乳パックを解体して、高さの違う三角柱を作って千代紙を貼《は》り、上から見て六角形になるように組み合わせていくのです。あなたの色の組み合わせ方って素敵ね、とか、濃い色で縁取りをするときれいよ、などと言い合いながら初対面の人たちとも気兼ねなく話すことができました。

敏子さんから簡単な説明を受けただけであっというまに作り上げた私に、皆、器用なのね、高さに合わせて色がグラデーションになってるなんてセンスがいいわね、などと賞賛の言葉を惜しげもなく送ってくれました。

手ぬぐいでティッシュ箱カバーを作っても、竹ひごでかごを編んでも、ボール紙で引き出し付きの小物入れを作っても、私の作品は褒められたのです。

褒められたのは、いつ以来のことでしょう。独身の頃は両親だけでなく、私と関わる人たちはいつも、私を褒めてくれていたのに。要は、田所家の人たちだけが私を褒めなかったということです。

しかし、手芸教室に参加していると、嫁ぎ先で冷たく扱われるのは、さして珍しくもないことだとわかりました。色紙を切りながら、針を動かしながら、竹ひごを編みながら、最初は作品のことについて話しているのに、気が付けば誰かしらが家庭内の愚痴をこぼし、皆がそれに同調していたのです。

子どもが勉強しない、夫が酒を飲んでは暴言を吐く、姑《しゅうとめ》に嫌味を言われる。酷《ひど》い人になると、姑の古希の祝いの際、義姉の予約した宴席に自分の席が用意されていなかったというエピソードもありました。

「あなたは何でもできるから、逆にお姑さんやお義姉《ねえ》さんたちはおもしろくなくて、そんな幼稚な嫌がらせをするのね」

敏子さんがそう声をかけているのを聞き、私も自分の経験を振り返りながらその通りだと大きく頷《うなず》き、その人の作品を褒めてあげました。

互いのことを少しずつ話すうちにわかったのは、集まっている奥さんたちが皆、親元から離れて、それなりに町の名士と呼ばれている家に嫁いでいるということでした。また、親やきょうだい、子どもを亡《な》くしているという共通点まであり、類は友を呼び、皆、こうして励まし合いながらがんばっているのだと、この出会いを与えてくれた敏子さんに心から感謝をしました。

再び一人に戻った農作業は大変でしたが、義母が口を挟まなくなった分、気楽でした。

娘は中学生になり、ますます私の手を必要としなくなりました。

田所の勤務する鉄工所は、いつ倒産してもおかしくないと言われており、近所には転職をして、都会に出て行った人たちもいましたが、田所は、そんな必要ない、と言い切ってこれまで通りに出勤していたので、私はまったく心配していませんでした。

そんな中、週に一度の手芸教室に通う日々は、今になって思えば、田所家に住むようになってから一番に、心穏やかに過ごせていた時期かもしれません。心配事といえば、義母が少しずつ妄想じみた話を口にするようになったことくらいでした。

「律子がもうすぐ帰ってくるそうだから、あの子の好物を用意しといておくれ」

最初に言われたときは、本当に律子から連絡があったのかと思い、義母に言われるまま買い物などをしていたのですが、翌日になっても、一週間経《た》っても、律子が帰ってくることはありませんでした。田所が、本当に律子から連絡があったのか、と訊《たず》ねると、最初は、そうだ、と言い切り、わたしが嘘《うそ》をついているとでも言うのかい、と怒り出し、そのうち、わたしの早とちりだったかもしれない、と自信なさげにつぶやいて泣き出すのです。

「もしかして、帰ってこようとしていたのに、あの男に邪魔をされたのかもしれない。哲史、今から大阪に連れていっておくれ」

そんなことを言い出すと、田所はお手上げといったふうに離れに引き上げていき、私が必死になだめることになるのです。

しかし、そういった症状はどこの家のお姑さんにも少なからず出ているようで、自分でお手洗いに行けているうちは心配ない、と手芸教室の人たちから明るく励まされると、気にしなくてもよいのだと思うことができました。

手芸教室では毎回、敏子さんがお茶とお菓子を出してくれていました。三百円の材料費の中にお茶菓子代は含まれていないはずです。お礼の気持ちを込めて、商店街のケーキ屋でシュークリームを買い、手芸教室ではない日に敏子さんの家に届けに行くと、敏子さんは、そんなことしてくれなくていいのに、と遠慮しながら受け取り、こう言ってくれたのです。

「あなたのお母さんはとてもきちんとされた方なのね」

神父様、私にとってこれ以上嬉《うれ》しい言葉があるでしょうか。少し涙ぐんでしまったはずです。私の本質を理解してくれるのは家族などではない。敏子さん、この人なのだ。心からそう思いました。敏子さんとの時間を大切にしたくて、手芸教室には必ず出席しましたし、月に一度はお菓子を届けることにしたのです。

手芸教室に通い始めて一年ほど経った頃です。

敏子さんの家に行くと、いつものメンバーの中に見慣れない人が一人いました。敏子さんのお姉さん、彰子《あきこ》さんだと紹介を受けました。その日の作品はちりめん布を使った巾着袋《きんちゃくぶくろ》で、三十分もあれば作り終えることができました。すると、敏子さんが、今からおもしろいことをしましょう、と提案しました。彰子さんは姓名判断が少しできるので、皆をみてくれるというのです。

日々の生活の中では、幸せなことが起きるかもしれないと夢想する暇もなく、新聞の片隅に載っている星占いさえも他人事《ひとごと》のようでしたが、仲間同士で、おもしろそうね、などと言い合っていると、学生気分に戻ったかのようにワクワクしてきたのです。私たちはそれぞれ敏子さんが用意した紙に、自分と夫と子どもの名前を書きました。

「言っときますけど、わたしは姉に、ここでの噂話《うわさばなし》は何も教えていませんからね」

敏子さんはそう言いましたが、私はそれほど真剣な答えを期待していたわけではありません。皆も笑いながら、わかってますって、と受け流していました。

「わたしだって、名前でお家事情までがわかるわけじゃないわ。姓名判断といっても、本なんかでよくある、画数を調べるものではないの。名前を見て、その人がどんな人かをイメージするだけよ」

彰子さんはそう言って笑っていました。花子さんなら花のような人、幸子さんなら幸せそうな人。例えが単純すぎますが、そんな占いとも呼べないようなものだろうと想像していました。

敏子さんは皆に、それぞれの結果を皆の前で聞くか、別室で個別にするかと訊ねましたが、皆、私と同様にそれほど信用していなかったのでしょう。おもしろそうだから、この場で全員の分を聞きたいわ、と誰かが言うと、反論する人はいませんでした。

彰子さんは、それじゃあ、とランダムに重ねられた紙の一番上を取り、その場にいる誰なのかを確認しないまま、紙の上に手をかざし、しばらく目を閉じてから、書いてある名前それぞれの結果を口にしていきました。

「嘘のつけない人、夏の日差しのように熱いパワーを秘めている人、柳のようにしなやかな心を持った人」

「まあ、当たってる！」

占ってもらった人が声を上げました。曖昧《あいまい》な表現でしたし、家族についてはよく知らなかったのですが、本人に対しては納得できるものだったので、皆、自分がどう表現されるのか、最初よりも興味深い様子で彰子さんの言葉を待ちました。

彰子さんの例えは漠然としているうえに、悪い言葉がでてこなかったので、皆、安心して楽しんでいたのだと思います。すみれの花のような人、夕焼け空のような人、など結婚してからはまったく縁のなくなった詩的な言葉に、心がときめいていたのではないでしょうか。そして、ついに私の番がやってきました。春の陽だまりのような人、そんな言葉を待っていました。

「純潔と情熱を併せ持つ、赤いバラのような人」

思いがけない結果でした。しかし、うらやましいわ、と誰かがうっとりとつぶやき、でも確かにそんな雰囲気よね、という声も上がり、私はとても幸せな気分になりました。

「深い湖のような人」

これは田所についてでした。田所を見かけたことがあるという人が、ああなるほど、と頷いていました。

「燃えたぎる炎のような人」

これは娘についてです。娘を知っている人たちが少し眉《まゆ》をひそめました。

「そういうタイプじゃないかも」

口にしたのは敏子さんでした。敏子さんは病院で娘に会って以来、顔を合わせた際にはいつも声をかけてくれていたのです。

「マジメでおとなしい子よ。つくしとかそんなイメージの」

華やかさがない、という点では敏子さんの例えの方が合っていたはずです。

「あらそうなの？　名前に手をかざすと自然と頭の中に映像が浮かんでくるんだけど、全部が全部当たりってわけじゃないことも、バレてしまったかしら。でも、そこはご愛敬《あいきょう》で勘弁してくださいな」

彰子さんはおどけたように言うと、次の人の鑑定を始めました。他の人たちは再びはしゃいだ声を上げていましたが、私は単純な反応を返すことができなくなっていました。私だけが驚いているのだろうか。皆、自分の鑑定をしてもらった際に、彰子さんが口にしているのは漠然としたイメージではなく、核心に触れたものだと気付かなかったのだろうか。

家に帰り、床についてからも、彰子さんの占いは私の頭から離れませんでした。

赤いバラは私と田所を結びつけることになった花。高台の家の象徴とも言える花です。それが私ということなのか。しかし、私に対するイメージはさほど気に止めるようなことではありませんでした。

深い湖のような人。田所をこの言葉で表したのは二人目です。田所との結婚にいま一歩踏み切れなかった私の背中を押してくれた、母の言葉でした。もしかすると、彰子さんは母と同じ感性を持っているのかもしれない。

敏子さんは他者を温かく受け入れ、おおらかに包み込んでくれるような人ですが、農作業で日に焼けた顔や節くれだった手からは、堅さや強さも漂ってきて、この人も苦労をしているのだと、すべてを委《ゆだ》ねてしまうのは申し訳ない気持ちになることがありました。そのうえ、耳に心地よい、低く美しい声も、地方訛《なま》りで世間話をするときには、何の魅力も感じられないものになってしまいます。

しかし、彰子さんは敏子さんとよく似た柔らかい顔立ちのうえ、色白で体のラインも丸みをおびており、名前を書いた紙にかざされた手も、お釈迦《しゃか》様の手のようになめらかで、大きく、すべてを温かく包みこんでくれそうな雰囲気を醸《かも》し出していました。声も敏子さんとよく似て美しく、おまけに訛りはありませんでした。会話の内容に所帯じみたところがなく、何かふわふわとしたものを食べて生きているような、不思議な力が宿っていてもおかしくはない、そんなふうに思わせる人だったのです。

彰子さんの力が本物だと感じたのは、娘を炎に例えたときです。敏子さんは否定しましたが、娘の名前に手をかざし、彰子さんが炎を思い浮かべたのは娘の性格によるものではなく、あの忌《い》まわしい出来事の残像ではないかと思いました。確かに、義母たちに向かって歯に衣《きぬ》着せぬもの言いをしていたところなどは、炎を連想することができる要素ですが、そんな日常のとるにたりないことが名前に表れているとは考えられません。

赤いバラと、深い湖、燃えたぎる炎。それらの言葉を頭の中で繰り返すうちに、私はある一つの恐ろしい結論に辿《たど》り着いたのです。こうなることはすべて決まっていたのではないかと。

田所と結婚し、高台の家に住み、娘が生まれ、母を失う。台風や火事は予測不能の災難だったのではなく、起こるべくして起きたことではないのか。それだけではない。田所の家に越してくることになったのも、律子や憲子がこの家から去っていったのも、それらのせいで義母が私を受け入れようとしなくなったことも、桜を失ったことさえも……。

彰子さんにもっと早く出会って、結婚前に名前を見てもらっていたら、何と言ってくれただろう。何か運命は変わっていなかっただろうか。

しかし、田所との結婚は母が勧めてくれたことなので、間違っているとは思えませんでした。そうして思い当たったのは娘の名前についてです。名前で運命が決まるのなら、もし、別の名前をつけていたら違う人生を送ることができたのではないか。

母はまだ生きていたのではないか。

娘の名前をつけたのは義母です。とはいえ、そんなことを悔やんでみても、すべてが手遅れでした。母と桜以上に失いたくないものなど、私にはなかったのです。そのうえ、義母は少しずつ私を頼ってくれるようになっていました。病院に連れて行ってくれ、薬をもらってきてくれ、と端から聞けば厄介そうなことでも、私には嬉しかったのです。

「本当はあんたなんかに頼みたくないんだけどね」

吐き捨てるような言い方でしたが、言葉以上に私を必要としてくれていることは、目を見ればわかりました。ようやく、義母は私を家族として受け入れようとしてくれている。義母が母の代わりになることなど決してないけれど、もう一人の母親として、誠心誠意尽くし、喜んでもらうことが、これからの私の使命なのだ。

そんな私を母はきっと見てくれているはずだ。喜んでくれているに違いない。いつか母の元へ行ったときには、よく頑張ったわね、と頭を撫でながら褒めてくれるだろう。そう信じていました。

しかし、母の元へ行かずとも、私は母に会うことができたのです。

手芸教室で姓名判断をしてもらってからひと月ほど経った頃でした。

敏子さんから電話で映画に誘われたのです。新聞社が主催する映画鑑賞会にハガキを送ったら三枚当たったので一緒に見に行かないか、ということでした。映画など、結婚前に田所と行ったきりでした。義母のことが気になりましたが、一日くらいどうにかなるだろうと、私は映画に行くことを敏子さんに伝えました。

手芸教室の他の人には内緒にしてほしいと言われ、敏子さんが一番に私に声をかけてくれたことがわかり、とても嬉しく思いました。しかし、三枚ということは、もう一人誰かが行くはずです。もしや敏子さんのご主人では。気後れしながら訊ねると、そんなはずないでしょ、と一笑されました。中世のフランス宮廷が舞台のラブストーリーを見るのに、旦那《だんな》と一緒じゃがっかりじゃない、と。

もう一人は彰子さんでした。

義母には婦人会の日帰り見学会に参加することになったと伝えました。実際に婦人会では、水耕栽培など新しいスタイルの農業施設や、婦人グループが立ち上げた農産物の加工会社などの見学ツアーがよく行われており、貸し切りの大型バスで行くため、人数あわせのために来てほしいと頼まれることがたびたびあったのです。

今回はどうしても断れなかった、と伝えると、勝手におし、とおもしろくはなさそうでしたが、許可を得ることができました。

外出用の洒落《しゃれ》たワンピースは持っていませんでしたが、娘の中学の入学式用に買ったスーツにスカーフを合わせ、私なりに精いっぱいのオシャレをして家を出ました。敏子さんとバスに乗り、隣町の映画館に向かうと、ロビーで彰子さんが待っていました。

「まあ素敵なお洋服、スカーフの巻き方ひとつとっても華のある人は違うわね」

開口一番に褒めてくれ、私は母と外出していた頃を思い出しました。

女は中身で勝負なんていう人がいるけれど、みすぼらしい格好をしていると、中身までみすぼらしい気分になってしまうのよ。外出するから、お化粧をする、オシャレをする、じゃダメなの。朝起きたら、お化粧をする。オシャレだって、何もドレスを着なさいという意味じゃない。普段着のときだって、色や模様を上手に組み合わせたり、小物をアレンジしてみたり、今の自分は輝いて見えるかってことを常に意識しておかなきゃ、女として失格よ。あら、今日も素敵。花が咲いたみたいだわ——。

「××新聞社奥さま感謝祭」と銘打たれた映画鑑賞会は午前十時から始まり、午後零時すぎに終了しました。せっかくだから昼食をとって帰ろうということになり、映画館に近いホテルのレストランに入りました。このような場所で食事をするのも、結婚後、初めてでした。

たまには映画でも見に行くか、と田所は思い出したように言い出すことがありましたが、義母の機嫌を損ねてまで行きたいとは思いませんでした。映画も旅行も、両親との楽しい思い出が残っていればそれでよかったのです。

それなのに、敏子さんと彰子さんと一緒に過ごした時間は、まだこんな幸せが自分に残されていたのかと驚いてしまうほど、夢のようなひとときでした。

身分違いの恋を貫いてほしかったわねえ、結ばれなかったからこそ互いの思いは永遠に続くのよ、わたしは最初から夫の方が素敵だと思っていたわ、などと映画の感想に花を咲かせ、家では食べることのないクリームソースのスパゲティを味わい、時計の針が止まってしまえばいいのに、と願ってしまったほどです。

占いの話になったのは食後のコーヒーが運ばれてきてからです。姓名判断の結果をご主人や娘さんはどう言っていた？　と敏子さんに訊《き》かれ、私は誰にも言っていないことを打ち明けました。当たり過ぎていてなんだか怖かったのだ、と。

そう言いながら、本当はなぜ言わなかったのかしら、と考えていました。義母は別として、田所と娘は、心が通い合っているとは思わないまでも、まったく口を利《き》かない冷え切った間柄というわけではありませんでした。ただ、流産をしてから、田所は子どもがもう一人ほしいとまったく口にしなくなったし、それどころか、私に触れてくることもなくなりました。

娘はますます私に身構えるようになっていました。こちらから声をかけるときも、向こうから話しかけてくるときも、必ずといっていいほど、目を合わせようとしないし、言葉を詰まらせるのです。手芸教室に行く日は夕飯の後片付けや義母の世話を頼んでいることもあり、帰るとすぐ、娘に作品を見せていました。

「か、かわいいね」

「色づかいがいいって、みんなから大好評だったのよ。鉛筆立てだから、勉強机の上に置いて使いなさいよ」

「も、もらっても、い、いいの？　あ、ありがとう」

嬉しいのやら、本当はほしくないのやら、何を考えているのかまったくわからない返答に、手芸教室での楽しかった気分が一気に冷めていくようでした。私ならもっと笑顔で、朗らかな声で、喜びを伝えることができるのに。手芸教室に通う人の中には、習った品を後日、娘と一緒に作っているという人もいました。

わあ、素敵！　これ、どうやって作ったの？

そんな言葉があれば、二人で一緒に作りましょう、と言えたのに。子どもの頃から母や私の手作りの品をたくさん与えてきたのだから、普通なら、これくらいの歳《とし》になれば自分も作ってみたいという気持ちを抱くはずなのに、まったくその血を受け継いでいないことが歯がゆくてたまりませんでした。

二人で一緒に手芸をしていたら、敏子さんや手芸教室の人たちのことを、自然と話して聞かせたはずです。

今日は敏子さんのお姉さんがきて、姓名判断をしてもらったのよ。

へえ、わたしの名前も見てもらった？

当たり前じゃない。

何て言ってた？ あ、でも、ちょっと待って。なんだか、ドキドキしてきちゃった。

交わされることのない会話を頭の中に浮かべているうちに、娘の言葉は私のものになり、私の言葉は母のものになり、ハッと思いついたのです。

「もう一人、名前を見てもらってもいいですか？」

「いいわよ」

彰子さんは快諾してくれ、敏子さんがバッグの中からメモ帳とペンを取り出してくれたので、私は名前を書きました。その紙に手をかざして、彰子さんは言ったのです。

「これはあなたのお母様の名前かしら。……桜の花、が見えるわ」

やはり、彰子さんの能力は本物なのだと確信しました。彰子さんは続けてこんなことを言いました。

「あなたのことをとても心配されている。もしかして、もうご存命ではないのかしら」

私はただ頷くばかりでした。イメージだけでなく、生きているかどうか、そして、今の思いまでもわかるなんて。

「でも、いつもあなたをそばで見守ってくれている。……お母様の、声を聞きたい？」

どういうことかわからず、敏子さんを見ました。

「このあいだのはお遊びみたいなもので、姉はもっと強い力を持っているの。信じられなければ不愉快な思いをするだけでしょうから、もうやめてもいいのよ」

「いいえ、聞かせてください」

そう頼むと、敏子さんは、お姉さんお願い、と紙に手をかざしたままの彰子さんに言いました。

「本当に、よくがんばってるわね。そんな細い体で、辛いことを一人で全部引き受けて、本当に、えらいわ。あなたはお母さんの自慢の娘よ。だけど、無理をしないでね。からだは大切にしなさい……」

彰子さんは手を下ろし、大きく息をついて水を飲みました。

「ごめんなさい。一度にメッセージを受け取るのは、これが限界」

充分でした。まさか、母からの言葉を聞かせてもらえるとは。母はいつも私を見守ってくれているると心の中では信じていても、時折、もう私の姿も見えない、声も聞こえない、遠いところに行っているのではないかと不安に陥ることもありました。けれど、やはりそばにいてくれたのです。私には聞こえない声でずっと、私を励まし続けてくれていたのです。

込み上げてくる涙を拭《ぬぐ》うため、紙ナプキンを取ろうとした手を、彰子さんが握りしめました。母の名前にかざしていた手です。

「拭わなくていい、全部流してしまいなさい。あなたが泣くことを咎《とが》める人はここにはいないのだから」

言葉とともに伝わってきた手の感触とぬくもりは、まぎれもなく、母のものでした。

その翌週、手芸教室ではない日に、私は電話で敏子さんの家に呼ばれました。日中だったので、田んぼに行くと言って家を出ることができました。そこには、彰子さんもいました。

「本当は、このあいだ言おうかと思ったんだけど……」

敏子さんは遠慮がちにそんな前置きをして、私を呼んだ理由を話してくれました。彰子さんが姓名判断をしてくれた際に、娘について気になることがあったというのです。

「失礼だとは充分承知しているの。だけど、確認しておいた方がいいと思って。あなた、お嬢さんとはうまくいってる？」

どう答えていいのか戸惑いました。何を以《もっ》てうまくと言うのか。心と心が通じ合っているということであれば、うまくいっているとは言えませんが、娘は非行に走っているわけではありません。テレビや新聞では子どもが親に暴力をふるうなど、考えられないようなニュースをよく見かけます。そういうことでいえば、うまくいっていないとは言い切れない状況でした。

しかし、この質問を受けたのは、彰子さんに心当たりがあるということです。

「何か、娘の名前が表しているることがあるんでしょうか？」

質問に質問で返すという失礼なことをしてしまいました。

「具体的なことはわからないの。だけど、あなたは不幸な体験をいくつかしていて、それに娘さんが大きくかかわっていると、わたしは読み取ったのだけど、思い当たることはないかしら」

思い当たるどころか、私に起きた不幸はすべて娘に起因しているのです。しかし、それを打ち明けてもいいものか、やはり迷いはありました。私は誰よりも愛されてきたのだ。不幸な女だとは思われたくない。そんなプライドが邪魔をしたのだと思います。ただし、そんな私の気持ちすら、彰子さんは読み取っていました。

「あなたはとても優しい人だから、たとえ、身に覚えがあっても、自分の不幸を他人のせいにはしないのでしょうね。ましてや、それが自分の子どもであれば、尚更《なおさら》、庇《かば》いたいと思う気持ちはわかるわ。あなたは人一倍強い母性を持つ、天使のような人だもの。ただ、わたしは娘さんを否定しているんじゃないの。娘さんの中にあるよくないものをそのままにしておくことをほうっておけないのよ」

「どういうことですか？　悪霊《あくりょう》とかそういったたぐいのものですか？」

私は魂の存在や輪廻《りんね》転生については信じていましたが、幽霊については疑問を抱いていました。いい霊であれ、悪い霊であれ、死者の魂が地上にあるとしても、姿が見えることなどないと思うのです。ましてや、直接、人の行動や思考をコントロールすることができるとは考えられません。

私のそばに母の魂はあります。けれど、母の姿が見えたことは一度もありません。母の魂が生きている人間を操れるのだとしたら、私の身にこれほどまでの不幸は生じなかったはずです。少なくとも、桜を失うことはなかったはずです。

「そういうものと勘違いする人はたくさんいるけれど、霊とか悪魔といったものではないのよ。わたしたちはオルグと呼んでいるんだけど、わかりやすく直せば、気、とでもいうのかしら。嬉しい、悲しい、楽しい、辛い。人は簡単に感情を言葉で表すけれど、じゃあ、悲しいってどういうことなのかしら。嬉しいも。楽しいも。色も形もないものを、どうして感じることができるのかしら。ないけれどある。あるけれどない。だからこそ、人それぞれいかようにでもオルグを作り出すことができる。そのオルグが、あなたの娘さんの場合、とてもよくない状態で、一番近くにいるあなたのオルグにも影響を与えているのよ。特に、あなたのような感性豊かな人は影響を受けやすいから、一人で全部背負ってしまうことになるの」

彰子さんの言葉はストンと私の中に入ってきました。これまでの出来事にすべて説明がついたような気がしました。母が命を失ったことに対しても。高台の家で過ごしていた頃は、私よりもさらに感性豊かな母が、娘の悪いオルグを引き受けてくれていたのです。そうやって私を守ってくれていたのです。

「悪いオルグを改善することができるんですか?」

「ええ、たちまちすぐにというのは難しいけれど。敏子ちゃん、あれをもってきて」

彰子さんに言われて、敏子さんが隣の部屋から白い小さな紙袋を持ってくると、彰子さんはその中から包みを出しました。薬包紙で包まれた粉薬のようでした。

「これはね、わたしの先生が調合してくれた、漢方薬のようなものなの」

先生、と彰子さんは言いました。

「わたしには昔からこんな力があったわけじゃないのよ。ただ少し、勘が鋭いところがあっただけ。でも、二十歳で結婚して、その五年後に事故で夫と子どもを同時に失って、自分も死んでしまおうかと思ったときに手を差し伸べてくれた人がいたの。それが、先生。先生の元でオルグの勉強をするうちに、わたしにも少しずつ見えるようになってきたんだけど、まだまだ足元にも及ばないわ。先生なら、あなたのお母様の声も、もっと聴かせてくれることができるのよ。あなたが望むのなら、先生を介して、会話をすることも」

「先生に私も会わせてもらえるのですか？」

「それはあなたの気持ち次第ね。好奇心で先生に会いたいという人はたくさんいるんですもの。一時期、そんな人が押し掛けて、マスコミの取材なんかもきて、中には詐《さ》欺《ぎ》よばわりする人も出てきて、先生は本当にお心を痛めていらっしゃったの。もう、オルグのことは誰にも話さないし、災いの兆候が見えても教えないって。それをわたしのような弟子たちが説得をして、ようやくまた手を差し伸べてくださるようになったのよ。だから、あなたの中に一ミリでも先生への猜疑心《さいぎしん》があれば、会わせることはできないわ」

「じゃあ、どうすれば」

「簡単よ。先生のお力を実感すれば、猜疑心なんか吹き飛ぶわ」

敏子さんが言いました。そうして敏子さんは、自分もこの薬を使っているのだと話してくれたのです。

敏子さんの一番上の娘さんは中学生になった頃から悪い友人たちと付き合うようになり、夜遊びや万引きなどで学校や警察に呼び出されることがしょっちゅうあったようです。敏子さんが心を鬼にして怒っても、涙ながらに訴えても、思いが娘さんに伝わることはなく、敏子さんは娘を殺して自分も死のうとまで思ったそうです。

その頃、彰子さんは修行中で、遠く離れたところに住んでいました。しかし、彰子さんはオルグによって敏子さんの覚悟に気付き、先生に相談したところ、この薬を調合してくださったというのです。

敏子さんはこの薬を、にきびに効果があると言って娘さんに毎日一袋ずつ飲ませていたところ、娘さんは徐々に悪い友人たちと距離をおき、勉強に励むようになったというのです。今は東京の有名な女子短大に行って、通訳士を目指して英語の勉強をしており、先生に心からの感謝をお伝えするため、一度、お会いしたことがあるのだそうです。

「希少価値のある薬草を使っているから、姉妹でも値引きはなくて、正直、懐《ふところ》は痛んだけど、娘とわたしの二人分の人生の治療薬と考えると、決して高くはないと思うの。……ああ、こんな言い方をすると、我が家の台所事情がバレてしまうわ。御屋敷の若奥様のあなたなら、決してそんなに高いとは思わないでしょうから」

敏子さんは照れたようにそう言って、薬の金額を言いました。一袋に十包み、十日分入って一万円。ひと月で三万円です。胸の内で上げた悲鳴が思わず口からこぼれそうになってしまいました。毎月、ぎりぎりのところでやりくりをしているのに、三万円など。

しかし、それで娘が私や母の血を受け継いだ本来の姿に戻るのなら、敏子さんの言うように高い金額ではないのかもしれないと思いました。仁美さんからの家賃もあるし、憲子が訪れなくなった分、食事の量を少し減らせば、まったく手を出せない金額ではありませんでした。

そのうえ、母の声を聞き、会話までできるのです。百万円払ってもいい、いざとなれば家を売ろうと決意しました。

娘への薬の効果は目に見えて現れるようになりました。

三十番台だった成績は十番以内へと上がり、委員会に立候補もするようになったため、学校の先生からの評価もよくなりました。ボランティア活動などにも積極的に参加するようになり、近所の人たちからの評判も上がったようでした。そんなとき、いつも私は庭のしだれ桜の幹に手を当て、母に報告をしていました。

お母さん、私たちの血を引く娘はだんだんと本来の姿に戻り、いい子になってくれているわ。

早く、母の言葉を聞きたいと思いました。彰子さんはふた月に一度の割合で敏子さんの家を訪れ、姓名判断で娘のオルグが徐々に浄化されていることを確認し、母がそれをとても喜んでくれていると教えてくれました。

そうして、薬を与え始めた半年後、来月、先生に会わせてあげると約束をしてくれたのです。

母とどんな話をしよう。約束の日を指折り数えていたのに、先生に会うことはできませんでした。それどころか、敏子さんにも、彰子さんにも。

義母に敏子さんから薬を買っていたことを知られてしまったのです。

私は、これはにきびの薬でひと月分たったの三千円なのだ、と言いましたが、そんな嘘は通用しませんでした。敏子さんという人は昔から、不幸な出来事があった人をうまく丸めこんでは、薬だの水晶玉だの印鑑だのといったものを高値で売りつけている詐欺師だというのです。

もう二度と、敏子さんに会ってはいけないと言われました。こっそり会っていても、自分をごまかすことはできない。この近辺には少なからず田所の家から恩を受けている人たちがたくさんいるのだから。敏子さんに会ったことがわかれば警察に通報する、とまで言われ、私は義母の目の前で敏子さんに電話をし、手芸教室にはもう通えなくなったことを伝えたのです。

「お義母《かあ》さんに何か言われたの？」

敏子さんはすぐに察したようでしたが、私は今まで親切にしていただいたお礼だけを伝えて、電話を切ったのです。

「流産したことにつけこまれたんだろうけど、腹の中にほんの数ヶ月いただけの赤ん坊に魂も何もあったもんじゃない。あんたと同じ経験をした女なんて、この世にごまんといるっていうのに、自分の意志で立ち直れなくてどうするんだ」

どの口からその言葉が出るのだと、ガムテープで塞《ふさ》いでやりたい気持ちになりました。しかし、義母はただ私を責めていたわけではないのです。

「詐欺師につけこまれるのは、家族としての結束が弱い証拠だ。恥ずかしい話だよ。これからは、この家に残った者同士、助け合っていこうじゃないか」

大きなものを再び失い、しかし今度は、得るものもあったのだと、私は自分に言い聞かせました。しかし、良くも悪くもこのような結論に導いたのは、やはり娘だったのです。

「あの子がおかしなものを飲んでいるから気付いたんだ。大豆の粉が三千円ってのは納得できないが、もっとおかしなものを買わされる前でよかったと思わなきゃねえ」

普段、義母とはろくに目を合わせようともしない娘が、なぜ、薬を義母の前で飲んだのか。どうして、敏子さんから買ったことまで話してしまったのか。余計なところで義母と結束するのか。やはり、娘は田所家の方の血を濃く受け継いでいるのかもしれません。

ただ、神父様――。私は敏子さんが詐欺をしていたとは思えないのです。彰子さんの力は先にも書いたように本物でした。もしも、義母に気付かれるのがもう少し先で、彰子さんの先生にお会いできていたら、とは今でもときどき思います。

母と話がしたかった。そして……。先生や彰子さんの言葉により、この先に起きる不幸な出来事を食い止めることができたのではないかと、悔やんでも仕方のないことを、いつまでも考えてしまうのです。

娘の回想

暗闇《くらやみ》の中で、手のことばかりを考えてしまうのは、温度や感触の記憶だけでなく、思い出の品に手作りのものが多く含まれているからではないかと思う。

母のおそろいの服。おばあちゃんの手提げ袋。父の手料理。亨の手鏡、春奈ちゃんの手作りクッキー……。

夢の家から田所家に引っ越して、母には自由な時間がまったくなくなった。そんな中で、母が座布団《ざぶとん》カバーやテーブルクロスを縫っているのを見ると、ホッとする気持ちが込み上げてきた。

手芸教室に通い始めたのは、わたしが中学に入った頃だっただろうか。

週に一度、火曜日の晩に、母は同じ地区の中峰さんの家を訪れては、手作りの品を持って帰った。家に帰ってくると、わたしに一番に作品を見せてくれ、ここが難しかったのよとか、みんなに色の組み合わせがきれいって褒められたのよとか、はしゃいだ様子で手芸教室でのことを話してくれるのだ。鉛筆立てや小物入れなどはわたしにくれた。夢の家での母が戻ってきてくれたようで、わたしは火曜日が待ち遠しくてたまらなかった。

中峰さんは母が流産したときに救急車を呼んでくれた人だ。母を元気付けるために手芸教室に誘ってくれたのだろう。わたしは母の喜ぶ顔を見たいといつも思っていた。どうすれば喜んでくれるのだろうと必死になって考えていた。その答えは、あっけなかった。外に出してあげればよかったのだ。母にとってつらい場所は田所家なのだから。だけど、それを認めるのはとても悲しいことだった。

わたしは家族旅行というものをしたことがない。夢の家に住んでいた頃は、父の思いつきで車に荷物を乗せて、よく遠出をしていたらしい。田所家で毎日くたくたに疲れている母に、休日、どこか連れていってほしいとは頼めず、父に言ったことがある。すると父は、小さい頃にいろんなところに連れて行ってやったじゃないか、とあきれたように返したけれど、わたしの記憶には旅行のことなどひとかけらも残っていなかった。

つまんねえな。そう言われて腹が立ち、いったい西暦何年のことなのかと具体的に訊《たず》ねると、どれもわたしが生まれてから三歳になるくらいまで、夢の家に住んでいた初期のことだった。写真でもあれば、記憶の上書きができたり、何か思い出したりできるのかもしれないけれど、アルバムは火事で全部燃えてしまった。

結局のところ、愛なんてエゴとエゴのぶつかり合いなんじゃないだろうか。

わたしは母に喜んでもらいたかった。こちらを向いてほしかった。わたしが何かをしてあげたことで母が喜び、ありがとう、と頭を撫《な》でてほしかった。手を握ってほしかった。中学生になってからは、この歳になるとさすがに頭を撫でられる子はいないだろうと、そちらの方は割り切ってみた分、優しい言葉と笑顔はさらに求めていたかもしれない。

そんなふうに、わたしは一方的に愛を求めていただけなのだ。こちらが愛を与えれば、愛を返してくれると信じていたけれど、そもそも、わたしの与える愛は母にとって愛と感じないものだったのではないだろうか。家の中で母を守ることばかり考えていたけれど、本当にわたしがやらなければならなかったのは、母を家の外に出してあげる手助けだったのだ。

手芸教室のある晩は、わたしが夕飯の後片付けをしたし、いつもは早々に離れに引き上げていたところを、いつ祖母に用事を言いつけられてもいいように、母が帰ってくるまで母屋《おもや》に残っていた。それが一番喜ばれていたのかもしれない。だから、手芸品をわたしにくれたのだ。決して、新しい服を買う余裕がなくなったことへの埋め合わせなどではなかったはずだ。

父の勤務する鉄工所が芳《かんば》しくないことはわたしでも知っていた。鉄工所は狭い田舎町の一大産業で、父親が同じ鉄工所で働いているという子はクラスに十人以上いたけれど、三人が半年のうちに、父親の転職を理由に転校したし、残った子たちのあいだでも、今年中に潰《つぶ》れるかもしれないよ、としょっちゅう話題にのぼっていたからだ。

会社の情報を知っているのは、家で父親とそんな会話をしているということで、ちゃんと大人と対等に扱ってもらえているのがうらやましくて、わたしも父に会社のことを訊ねたことがある。

「お父さんの会社って潰れるの？」

「バカ言うな。不況だからって、そんなに簡単に潰れるわけじゃない。組合もあるしな」

「組合って？」

「ああ、そんなこともわからずに訊《き》いてたのか。あっちの二階の本棚にマルクスの『資本論』があるから、一度読んでみろ」

立派な本棚に世界の思想全集が並んでいるのは見たことがあった。でも、それは本の形をしていても、高尚なインテリアとして、飾っておくだけのもののように感じていた。どうせ、誰も読んでいないのだろうと。

「でも、りっちゃんの部屋なのに、勝手に入ったらダメじゃん」

「出て行ったんだから、もうあいつの部屋じゃない。それに、あの全集は俺が大学生のときに買い揃《そろ》えたんだ」

「じゃあ、こっちに置いとけばいいのに」

「いらねえよ。全部読んでるのに、邪魔なだけだろ」

父が本を読む姿など見たことのなかったわたしは、かなり驚いた。K大学を出たことは祖母がよく自慢していたから知っていたけど、それなのに鉄工所の平社員でいるのは、大学でまったく勉強していなかったからだと決めつけていた。以前、大学では何をしていたのかと訊ねたときも、麻雀《マージャン》、と一言返ってきただけだったので、本当にそれしかしていなかったのだと信じていたのに。

わたしは父のこともよくわかっていなかったのだと、とりあえず、マルクスの『資本論』を読んでみることにした。

母がいるときは母屋の二階に上がるのに抵抗があり、手芸教室の時間を選んだものの、祖母に見つかって文句を言われるのも嫌だったので、父についてきてほしいと頼んだ。

夕飯の後、二人で二階に上がり、とりあえずりっちゃんのということになっている部屋に入ると、父が本棚のガラス戸を開け、マルクスの『資本論』を取り出した。父から渡された本を箱から出してぱらぱらとめくってみると、びっしりと埋まった文字がこれはインテリアではないと訴えかけてきた。この本に書かれていることが父の頭にも入っているのだと思うと、なんとなく父の顔がきりっとして見えた。

「なんだこりゃ」

気付いたのは父だった。部屋の南側に面した窓辺に小さなテーブルがあり、その上に直径十五センチはありそうな大きなガラス玉が金色の座布団に載せて置かれていたのだ。

「律子は占いの趣味でもあったのか?」

「わかんない。でも、わたし、りっちゃんがいるときにこんなの見たことないよ」

わたしはりっちゃんが出て行ったその日に、この部屋に入ったのだ。こんな大きなものがあったことに気付かないはずがない。

「ばあさんか?」

父はガラス玉を座布団ごと持って、一階の祖母の部屋へと入っていき、わたしも後に続いた。テレビを見ていた祖母は機嫌悪そうに振り向いたけれど、父の持っているものに気付くと、何するんだ! と声を張り上げた。しかし、父はひるまなかった。

「何なんだこれは」

落ち着いた声で祖母に訊ねた。

「お守りだよ」

祖母はそう言い、それがどんなに価値のあるものかを説明し始めた。姓名判断で遠く離れた人のオルグという気を見ることができる、尊いお力を持つ先生から買った水晶玉、らしい。これを律子の部屋の窓辺に置いておくと、律子のオルグがここに集まり、律子の状態を示してくれる、というのだ。

元気であれば水晶玉は美しい光沢を放ち、事故や重い病気など、悪いことが起きれば、水晶玉にひびが入ったり、割れたり、透明な水晶玉が黒く濁った色に変化したりする。……はずがない。

「何をバカなことを。騙《だま》されたんだよ」

あきれたように言ったのは父だ。シャツの胸ポケットから煙草《たばこ》を取り出し、火を点《つ》ける。祖母は先生のお力が本物であることを必死で語り聞かせた。お弟子さんでさえも、名前に手をかざせばどんな人であるかわかるのだ。喜び、怒り、悲しみ、楽しみ、それらの感情には色も形もない。あるはない。ないはある。すべては一つのオルグからできているのだと先生はおっしゃるのだ、と。

なるほど、と浅はかなわたしはつい納得しながら聞き入ってしまった。

「般若心経《はんにゃしんぎょう》の亜流じゃないか。寺に高い寄付金払ってんのに、坊さんは般若心経の意味も教えてくれなかったのか？　姓名判断だって、どうせ誰にでも当てはまるような、抽象的なことを言ってるんだろう。律子が出て行ったことを聞きつけた奴《やつ》に、カモにされただけだ」

祖母は返す言葉が見つからないといった様子で、口をパクパクさせていた。だけど、父はそれ以上きつい言い方をしなかった。手近な灰皿でまだ半分残っている煙草の先をつぶして耳に挟むと、祖母にまっすぐ向き直った。

「俺はね、母さんのことをすごく聡明《そうめい》な人だと信じてる。俺がちょっとばかり勉強ができるのは親父《おやじ》じゃなく、母さんの血を受け継いだからだ。だから、これ以上言わなくても、母さんはもう理解してくれてるよな」

おふくろではなく母さんと呼び、両手を力強く祖母の両肩に乗せると、祖母は小さく頷《うなず》いた。

「こんなガラス玉に頼らなくても、律子なら、風邪ひいただけで母さんを頼って帰ってくるよ。あいつは自分が何をしても、母さんだけは助けてくれるって信じてるんだ。勝手に出て行ったのに、許してもらえなかったらどうしようなんて気持ちは一ミリも持っちゃいない。便りがないのは元気な証拠じゃないか」

どうしてこんな言葉を母にもかけてあげないのだろう、とうらめしい気持ちになった。それとも、母が流産したとき、父はわたしの知らないところで、母にも優しい言葉をかけてあげたのだろうか、と。

父の言葉に祖母は何度も頷き、わたしはどうかしてたんだ、と自分の行為が間違っていたことをあっさりと認めた。二階の部屋に上がると、ガラス玉を木箱に入れて、押入れの中に仕舞いこんだのだ。「こんなもの、漬物石にもなりゃしない」といつもの毒々しい口調にも戻っていた。

離れに戻り、父に訊ねた。

「あんなふうに説得できるのに、どうしていつも黙ってるの？」

「あのガラス玉をタダでもらったってんならほうっておくけど、多分、相当の金を払わされてるはずだからな。この先、もっとおかしなものを買わされちゃ、たまんねえだろ。おまえもつまんないことでばあさんに食ってかからなくても、ほうっておけばいいんだ。それで、いざとなったら、少しおだててやればいい」

「それをママにも教えてあげたらいいのに」

「そりゃ無理だ。ママには、こうしなきゃいけないっていう自分流の信念みたいなもんがあるからな。そうしなくても成り立っていくんだ、なんて今さら言われたら、これまでの人生を否定されたような気分になるだけだろ」

それはつまり、母に、自分がやっていることは正しいと思わせ続ける、ということだとわたしは解釈した。

「田んぼや家事なんて休んでいいんだよ。おばあさんの言うことなんてきかなくていいんだよ。じゃなくて、いつもありがとうとか、がんばってるね、って言われる方がママは嬉《うれ》しいってこと？」

「よくわかってるじゃないか。まあ、実際、この家はママがいなけりゃ、とっくに崩壊してるだろうからな」

家の中から目を逸《そ》らしていたわけではなかったのだ。やれやれ、とひと仕事終えたように父は吸いかけの煙草を耳から外して火を点けた。いつもの姿だった。

「パパはそういう言葉、ママにちゃんとかけてあげてる？」

「言わなくても、わかってるだろ。ママは頭もいいし、想像力もあるからな」

父の言葉にすっかり納得してしまったけれど、今になって間違いだったのだと気付く。言っていればよかったのだ。父も、わたしも。母にどれほど感謝し、愛しているのかを。


手芸教室に通い始めて一年ほど経《た》った頃、母はわたしに、にきびに効く薬を買ってきてくれた。中峰さんの娘も飲んでいたらしく、とても効果があるのだ、と。白い紙に包まれた黄土色の粉薬は、口に入れて水を含むと、膨張して、喉《のど》の奥まで豆っぽい味が広がり、飲みこむのに一苦労だった。母に、どう？　と訊かれ、少し飲みにくいかも、と正直な感想を伝えると、あんたって子は……、と吐き捨てるように言われた。怒らせてしまった。金銭的な余裕がないところを、わたしのために買ってくれたのに。

それからは文句を言わずに飲んでいたけれど、わたしのおでこや頰にできたにきびはなくなるどころか、どんどん増えていくばかりだった。母は悪い菌をまずは全部出しているのだと言ったけど、何かを買ってくれるのなら、新しい服がよかった。

母にとっては愛であり、わたしにとっては迷惑なだけのこと。どうしてもらえれば、わたしは幸せだと思えたのだろう。だけど、わたしは決して放っておかれたわけではない。中学生になってからは、むしろ、気にかけてもらえるようになった。

テストの結果は必ず見せるように言われ、間違えた問題の数だけぶたれたし、いい点数をとれば、おじいちゃんの血が流れているのだから当然だ、と満足そうに言われた。クラス委員に立候補しないのか、ボランティア活動には申し込んだのか、などと訊かれたことを、自分には向いていないと思いながらも、ちゃんと果たしていた。近所の人に母はわたしをけなしながらその人の子どもを褒めた。近所の人はそのまま子どもの自慢をした。

目つきが気に入らない、言葉遣いが気に入らない、声が気に入らない、音をたてて皿を洗うのが気に入らない……。祖母から言われていたときは、腹は立っても落ち込むことはなかったのに、母から怒られると、そのたびに自分が消えていくようだった。

わたしを褒めてくれる人などどこにもいない。

わたしの存在を認めてくれる人などどこにもいない。

いったい、わたしはどうしてここにいるのだろう。

そんなことを思いながら鏡を見ると、にきびだらけの顔が映り、死んでしまいたいような気分になった。母に死んでしまえと思ったことは一度もない。嫌いだと思ったことも一度もない。母に嫌われる自分が嫌いだった。

自分の存在をどうすれば受け入れられるのだろう、と考えた。母に認めてもらえないのなら、自分だけでも、自分を認めてあげなければならない。自分で自分を好きになる。好きな人のようになる。母のようになれば、自分を好きになれるだろうか。

いずれ、母もわたしのことを好きになってくれるだろうか。

母に愛されたい。何を考えていても、辿《たど》り着く先はいつも同じだった。

唯一《ゆいいつ》の楽しみに見えていた手芸教室を、母は一年半でやめた。理由を訊ねると、夜出ていくのに疲れたのよ、田んぼだけでも大変なのに、と元気のない声で返された。もしや、祖母に何か言われたのではないかと、疑念が生じた。あるとき、にきびの薬をホットミルクに混ぜて砂糖を加えるとおいしく飲めることに気付き、母が手芸教室に行く日だけ、そうやって飲んでいた。そのとき一度、きなこ牛乳を飲んでいるのか、と台所にやってきた祖母に訊かれたことがある。にきびの薬だと答えたのに、これは大豆の匂《にお》いだと譲らず、味見までしたうえで、どこで処方してもらったのかと問い詰められたので、母が中峰さんに頼んでくれたことを話した。

それが原因だったら、と考えたものの、にきびの薬ごときでやめさせはしないだろう、とすぐに思い直した。二、三年前の祖母ならともかく、その頃の祖母は、前より母に優しくなっていた。自分の娘たちがまったく当てにならず、母に頼らなければならないことに、ようやく気付いたのだろう。

母が自分の意志でやめるのなら、わたしが口出しすることは何もなかった。中峰さんとの交流が途絶えたためか、わたしもにきびの薬から解放された。効果がないのだから、未練はなかった。

祖母が母に辛《つら》く当らなければ、わたしは母を守る必要はない。嬉しいことのはずなのに、寂しかった。

母とわたしの二人だけになれば、母はわたしを必要としてくれるだろうか。愛してくれるだろうか。

結局、そうやっていつも、わたしは母を求めていただけ。だから気付けなかったのだ。

母がわたしを愛してくれない理由に――。

＊

ほかの壺《つぼ》なら酒をいれる　油をいれる
その周壁がえがくうつろの腹のなかに
けれども私　もっと小型《こがた》で　一ばん華奢《きゃしゃ》な私は
ちがった需要のための　あふれ落ちる涙のための壺なのだ

酒ならば　壺のなかで　豊醇《ほうじゅん》にもなろう　油ならば澄みもしよう
けれども涙はどのようになる？　涙は私を重くした
涙は私を盲目《もうもく》にして　曲った腹のあたりを光らせた
ついに私を脆《もろ》くして　ついに私を空《から》にした

第六章　来るがいい　最後の苦痛よ

母性について

「おまえの話したい当事者ってのは、母親と娘、どっちだ」

国語教師はシメのメニューとして、もう一度りっちゃんにたこ焼きを注文してから、訊《たず》ねてきた。りっちゃんに、二人分？ と確認されて、たこ焼き茶漬けにしてほしい、と頼むと、国語教師も同じものに注文を変更した。

「本心を知りたいのは母親の方だけど、話したいのは娘の方です」

「意識不明の状態らしいが、回復したら、何か、アドバイスしてやりたいことでもあるのか？」

「そんな大層なことは言えません。ただ、女には二種類あることを伝えたい、とは思います」

「ほう、どんな二種類だ。天使と悪魔か？」

「そういう目に見えないものは信じていませんから。もっと簡単な存在、母と娘です」

「誰でもわかってることじゃないか」

違う。誰でもわかっている、と誤解されていることだ。

「子どもを産んだ女が全員、母親になれるわけではありません。母性なんて、女なら誰にでも備わっているものじゃないし、備わってなくても、子どもは産めるんです。子どもが生まれてからしばらくして、母性が芽生える人もいるはずです。逆に、母性を持ち合わせているにもかかわらず、誰かの娘でいたい、庇護《ひご》される立場でありたい、と強く願うことにより、無意識のうちに内なる母性を排除してしまう女性もいるんです」

「なるほど、おまえのいう母と娘とは、母性を持つ女と持たない女、ってことなんだな。それで、母親が微妙なコメントをしている自殺未遂娘に、万が一、運悪く母性を持たない女の娘として生まれてきたとしても、悲観せずにがんばれ、とでも言ってやりたいのか?」

「……そういう、簡単な答えがあったんですね」

おまたせ、とりっちゃんが両手に持った陶器の碗《わん》を二つ同時にカウンターに置いた。四つ葉のクローバーのように並べたたこ焼きにゆず風味のかつお出汁《だし》が注がれ、大量のミツバが載せられている。

「うまそうだな」

「そのままでもおいしいけど、醤油《しょうゆ》を一滴たらすのがお勧めです」

国語教師にそう言うと、りっちゃんが、そうだった、と思い出した様子で、「ヒデ、醤油」とバイトの男の子に声をかけた。ああ、と無愛想な返事のまま醤油さしを差し出される。ヒデ？　男の子の顔を見返し、ようやく彼が誰であるのか気が付いた。

「しかしまあ、調べてはみるが、あんまり無理するなよ。大事な時期じゃないのか？」

「気付いてましたか」

「そうじゃないかと思っていたが、母性云々《うんぬん》で確信した。自分が同じ立場になろうとしているから、気になるんだろうってな」

そう言われ、お碗に添えていた手で腹に触れてみる。もうすぐ終わるから、と手のひらごしに念を送ると、ごゆっくり、と答えるようにゆるりとした胎動が伝わってきた。

わたしとこの子が同じ立場になるわけないではないか――。

母の手記

神父様――。

世の人々から、私が娘を自殺に追い込んだと誤解されるのは、これまでに記した、娘が私から幸せを奪い続けてきたことが要因ではなく、やはり、自殺未遂と時を同じくして、田所が姿を消してしまったからではないかと、私は思っています。

しかも、仁美さんまでどこかへ行ってしまった。

田所は仁美さんと不倫関係にあった。それに気付いた娘が私に忠告したことから、私は逆上して、娘を言葉で追い詰めた。もしくは、田所と仁美さんが駆け落ちすることを娘は知っていたのに黙っていた。それに気付いた私が逆恨みの気持ちを込めて、娘を自殺に見せかけて殺そうとした。

そのような噂《うわさ》が家の中に閉じこもっていても、私の耳には入ってきましたし、三流女性週刊誌にはまるで見てきたかのように、あの晩の出来事が誰かの想像だけで書かれているのです。

　私が口を閉ざしていれば、噂を肯定することになってしまう。断腸の思いで、門の前で待ち伏せしていた記者たちの前に立ち、私が娘を愛能《あた》う限り大切に育ててきたことを語ったのに、愛という言葉を重ねるほどに、彼ら、彼女らはしらけきった表情になり、さて、どんなおもしろい作り話を書いてやろうかと、腹の中で計算し始めるだけなのです。

　とはいえ、母が命をかけてあの子を守ったことまでは、打ち明けようとは思いません。愛を理解できない人たちにあの台風の日の出来事を聞かせても、命を繋《つな》いでいくことに対する母の思いや覚悟、私の決意まで、想像できる人などあの中には誰一人いないはずです。娘のせいで母の命を助けられなかったことに対する長年の恨みが爆発しただけではないか、と耐えがたい言葉で片付けられてしまうのだけは避けなければなりません。

　台風の日の事をきちんと打ち明けたのは、神父様にだけです。……いいえ、肝心なことを一つだけ、隠したままにしています。

　神父様なら、私が娘に復讐《ふくしゅう》じみた酷《むご》い仕打ちをするはずがないと、理解してくださると信じていますが、どうしても書くことができなかったのです。しかし、やはり勇気を振り絞ってお伝えしなければなりません。ただ、その前に、私の田所に対する気持ちを書いておきたいと思います。

愛する夫への思いを――。

田所と結婚して十八年、彼の口から一度も、私に向かって「愛している」という言葉が出たことはありませんでした。しかし、あの人はそのような言葉を口にできるような人ではない、深い思いを胸の奥の一番大切な場所に押し込めている人だということを、正確に理解していたのは私だけなのではないかと思います。

言葉とは何のために存在するのでしょう。思いを伝えるため、思いを知るため、思いを形にするため、私にとってはそのような目的で存在していました。多くの人にとっても同じではないかと思います。しかし、田所にとっての言葉は違う意味を持っていることに、ここ一年ほどの間に知ることができたのです。

言葉は戦うためにある。

律子が去り、義父が亡《な》くなり、憲子が去り、広い屋敷の母屋《おもや》に一人ぼっちとなってしまった義母は、私だけを頼るようになりました。そうして、二人で過ごす時間が長くなると、私に昔話を聞かせるようになったのです。

子どもたちの幼少期のエピソードでした。律子や憲子に関しては親バカな自慢ばかりだったので、真剣な顔で相づちをうつフリをしながら聞き流していたのですが、田所については興味深く耳を傾けることができました。

夫は少しでも自分の思い通りにならないことがあると、すぐに大声を張り上げ、それと同時に手が出る人だった。哲史が一歳を少し過ぎたころ、障子に手をかけてようやくつかまり立ちができるようになった。親なら我が子の成長を喜ぶはずなのに、夫は違った。障子の紙が破れたと、哲史の頭に分厚い手のひらを思い切り振り下ろしたのだ。

赤ん坊にそんなことができる人なのだから、哲史が年を重ねるごとに暴力は激しさを増していった。やめてくれと膝《ひざ》にすがりついて懇願しても、聞く耳を持ってくれるような人ではない。この子のどこがそんなに憎いのだと訊《たず》ねると、憎いのではない、田所の家を継ぐ者はこのくらい厳しく育てられなければならないのだと、当然のことであるかのように答える。

しかし、納得することはできなかった。夫はそのように育てられていないのだから。五人兄弟の末っ子に生まれ、戦死した兄たちのぶんまで、大事、大事に育てられてきた。だが、そんなことを口にすれば哲史ともども殺されかねない。子どもが甘やかされたまま成長してしまったのだと、あきらめるしかなかった。

わたしにできるのは隠れてこっそりとほんの少しの菓子を与えてやることくらいだった。かばってやれない母さんを許しておくれ。そう謝ると、哲史はいつも、僕は大丈夫だよ、と穏やかに微笑《ほほえ》みながら答え、一緒に食べよう、と菓子を半分わたしに差し出してくれた。

優しい子だった。ただ、あれほどの酷《ひど》い仕打ちを笑ってやり過ごせるなど、通常の精神状態では考えられない。頭を叩《たた》かれすぎて、どこか脳の機能がおかしくなってしまったのではないか。そう不安に思ったこともある。

それがまったくの杞憂《きゆう》であることはあの子が小学校に上がった頃にはっきりとわかった。どの教科も哲史はずば抜けてできがよく、教師たちから神童と呼ばれていたのだから。

夫はそれを外で自慢しながらも、胸の内ではおもしろくないと感じていたのか、つまらないことでケチをつけては、ますます哲史に手を上げるようになった。夫の亡くなった兄たちは皆、優秀だったが、夫は人並みかそれ以下であったため、親が兄たちの死を嘆くのを見ながら、必要以上に劣等感を抱くこともあったのかもしれない。だが、哲史は息子ではないか。

子どもが靴下を汚すのも、味噌汁《みそしる》をこぼしてしまうのも、当たり前だというのに。ましてや、普通に歩いているだけでも虫の居所の悪いときには、足音がうるさいと言って殴るのだから、わたしも哲史もあきらめるしかなかった。

だけど、哲史は聖人君子ではない。そのうちいつか反抗するときがくるのだろうと、近所の奥さんたちの話を聞きながら、怖いような、でも、少し期待するような気分でいたけれど、中学生になっても、高校生になっても、まったくそんな兆《きざ》しはなかった。

逆に、中学生になって美術部に入ってからは、ときどき、口が利《き》けなくなってしまったのではないだろうかと疑いたくなるくらい無口な子になった。庭で絵を描いているときなどは、周りの木と同化して見えるほどだった。

あの子の絵を見ていると、わたしは重く暗い気分になった。きっと、父親への不満をすべて絵の中に閉じ込めているに違いない、と解釈していたが、そんな絵でいつも賞をもらっていたんだから、わたしの思い過ごしだったのかもしれない。よそ様の方があの子の絵を理解できるってことだろう。

わたしはあの子をこんな田舎に呼び戻さずに、世界中を飛び回る画家にしてやりたかったよ――。

義母の話は大概ここで終わり、次のときにはまた、つかまり立ちのところから始まっていたので、ここに書き記すのにまったく苦労することなく、思い出すことができました。

義母の話を聞き、これをどのくらい信用すればいいのだろう、と私が少し考えてしまったのは、義父の人物像において、義母の話すものと私が知っているものとが重なり合わなかったせいです。義父は食事中に義母とお寺への寄付金の額などをめぐって大声を上げることはありましたが、怒鳴りつけるといった荒っぽい行動に出たことは一度もありません。ましてや、暴力をふるうなど、想像すらできないことです。

田所に対しては、私の前で暴言を吐いたこともありませんでした。

しかし、まるっきりの作り話ではないと思えたのです。

田所の暗い表情は、物心付く前からの父親による暴力のせいではないのか。両親の口げんかを黙って見ていたのも、自分が口を挟めば父親の怒りを増大させるだけだとわかっていたからではないのか。田所に対して、「なぜ」と思っていたことが、義母の話を聞くことにより、腑《ふ》に落ちていったのです。

同時に、結婚前に田所が言った「美しい家」についても、どういったものか漠然と思い描くことができました。庭に季節の花が咲き、室内が整然と片付けられているのは、田所の家も、高台の家も同じです。しかし、田所はそんなことを指して「美しい」と言っていたのではないはずです。

家族の心のつながりの美しさを指していたのではないでしょうか。暴力や怒鳴り声のない、心安らぐ、自分を解放できる場所。彼がそれを求めていたとしたら、高台の家は私にだけでなく、田所にとっても理想の家だったはずです。

私たちは「美しい家」を作り上げていた。

では、高台の家を失い戻ってきた生家を、田所はどんなふうに思っていたのか。慣れ親しんだ家なのだから何も思い煩《わずら》うことなく過ごしている、と思っていたのは、私にとっての生家がそうだったからですが、本当は田所自身も、息苦しい思いをしていたのかもしれません。

それならば、高台の家に住んでいた頃、田所の家に帰ることを仄《ほの》めかされていたのはおかしいではないかと矛盾が生じますが、暴力によって身にしみ込まされた長男としての責任が、その言葉を言わせていたのではないかと思います。もしくは、母親に私を説得してほしいと頼まれて、気のりしないまま言っていたとも考えられます。

それとも――。高台の家を「美しい家」に築き上げた私と一緒にいたら、田所の家も

「美しい家」に作り変えることができると期待してくれていたのではないでしょうか。きっと、そうに違いありません。

だとしたら、およそ十二年、田所は家そのものに失望し続けていたはずです。だから、田所は娘にあの悪夢の日の出来事を伝え、姿を消してしまったのでしょうか。

神父様、ついに、娘が自らの命を断とうとした日のことを書きます。

娘が帰宅したのは午後十時をまわってからでした。そんな時間まで無断で帰ってこなかったことなどなかったのですが、男の子と会っているのではないかという予感は、少し前からありました。どうしてこんなふしだらな子になってしまったのだろうと、がっかりするばかりでした。男の子と会っていることが悪いのではありません。私にも娘と同じ高校生の頃、仲のいい男の子は数人いました。学校帰りに町の図書館で一緒に勉強をしたり、映画を見に行ったりしたこともあります。

そういったことを、私は全部母に報告し、許可をもらって行っていました。名前、住んでいるところ、性格、どういったいきさつで仲良くなったのか。隠すことなど何一つありません。母が会ってみたいという子は、きちんと家に招待しました。中には家族に会うことをためらう子もいましたが、そんな子はその時点で、その後の交際を断りました。また、母があまり好まない子とも、付き合いを断つようにしていました。

なのに娘は、女友だちすら、私に紹介してくれることはありませんでした。小学生の頃、不幸な家の子と仲良くすることに理解を示してやったというのに、律子の見張りを失敗して、その子を誕生日会に招待できなくなって以来、誰の話も私の前でしなくなったのです。

友人のことだけではありません、学校でどんなことをしているのか、何に興味があるのか、中学で美術部、高校で英語研究部に入っていたけれど、どんな活動をしているのか、まったく私に教えてくれませんでした。

お母さん、聞いて！

私は毎日、学校から帰ると、台所に立っている母の背に向かい、その日あったことを報告していたというのに。思春期特有の悩みも、すべて母に相談しました。

ねえ、お母さん、私は今どうしてここにいるのかしら。

面と向き合って真剣に訊ねたことがあります。

あなたが、お父さんとわたしを選んで生まれてきてくれたからじゃない。

母は穏やかな笑みを湛《たた》えて答えてくれました。

私が選んだ?

生まれてくる前の、体を持たない魂だけの状態の自分を想像しました。壁一面に夫婦の写真が貼《は》られている部屋。そこに私は通されて、神様にどの夫婦の子どもとして生まれたいかを訊ねられる。私は夫婦の写真を見て決めたのだろうか。いや、違う。きっと神様に質問したのだ。

私を一番愛してくれるのはどの夫婦ですか?

すると、神様は一枚の写真をそっと指し示した。それが、目の前にいる母と、居間で洋書を読みふけっている父なのだ。そんなふうに感じながら、母にさらにこんなことを訊《き》くのです。

選ばれてよかったと思ってる?

母の答えはここに書かなくても、神父様ならきっとわかってくださってるのでしょうね。

子どもは親を選べない。不幸な身の上の子どもを指して、このような言葉が用いられることはよくあります。しかし、私は母の言ったように、自分が親を選んだと思っているのです。そして、私の子どももまた、親を選んだのだと。だからこそ、娘は私の望むようには成長しないし、そうなるのは娘の生まれ持った資質であって、私の育て方によるものではないと納得もできていたのです。

報告はなくとも、同じ屋根の下で暮らしているのだから、男友だちがいるかいないかという気配を察することはできます。電話の取り方、話し方。出て行くときの服装。それでも、日が暮れる前に帰ってくるうちは、こちらは何も気付いていないふりをしていました。

しかし、夕飯の時刻になっても帰ってこないのだから、帰ってきたら今日こそは厳しく言い聞かせようと決意し、いつもと同じく、義母の相手をしていたのです。

九時半まで母屋で過ごしたあと、離れに移動して一人でテレビを見ていました。田所もこの一年ほど前から残業が増え、零時近くに帰ってくることが多くなっていたのです。とはいえ、給料にまったく反映されないサービス残業でした。しかし、これを断ると会社をクビになってしまうかもしれないというのですから、世の経済は大変なことになっているのだと思い知らされました。

私が事務員をしていた頃は、会社に行って、終業時間までおしゃべりをしながら過ごしているだけで、今の田所とさほどかわらないお給料をもらえていたのですから。

婦人会の方たちの中には、夫が家事に協力しないことに愚痴をこぼす人がいましたが、私にとっては考えられないことです。会社で働いてもらっているというのに、どうして家事までしなければならないのか。しかも、愚痴をこぼしている人にかぎって専業主婦なのです。家事をすることだけが自分の役割なのに、何を手伝えと言っているのか理解に苦しむところがありました。

男性を台所に立たせるなど、家の恥です。高台の家で田所が食事を作ってくれたことを私が喜んで報告すると、母が難色を示していたことを思い出しました。そうなると、いまある自分は親がどのように育ててくれたかの結果であるとも思えるのですが……。娘はどうして私の願うような子に育たなかったのでしょう。

母が私に注いでくれた愛情と同じくらい、私も娘に愛情を注いだというのに。

娘を生かすために母の命は失われたという事実も、ぐっと胸の奥底へと押し込めて、そんな出来事があったことすら、娘に悟られないようにしていました。どんなに娘に対して怒りがこみ上げることがあっても、これだけは絶対に口にしてはならないと、のどに針を突き立てる想像をしながら、言葉を飲み込んだこともあります。

知れば、娘は激しく傷付き、自分を責めるだろうということがわかっていたからです。

それなのに――。

十時をまわって帰ってきた娘は、ただいまも言わずに玄関を上がり、私のいる居間へとやってきました。中まで入らずに、息を殺すように黙って戸口に立っているのは、後ろめたい気持ちがあるからだろうと察し、私は優しく声をかけることにしました。初めから大きな声で叱《しか》りつけては、どこで何をしていたのか聞き出せぬまま、部屋に閉じこもられてしまうと考えたからです。

怒りを悟られないよう笑顔を浮かべ、立ったままの娘の顔を見上げて、私は息を飲みました。娘の目が、開いているのかどうかもわからないくらい、真っ赤に腫《は》れあがっていたからです。蜂《はち》に刺されてしまったのか、と一瞬思いました。しかし、娘の両手は目もとにはなく、ぶらりと下ろされていたので、痛みがあるようではなさそうです。

男の子に別れ話でもされたのかしら。きっとそうだと感じ、失恋に傷付く娘をなぐさめてやりたいと思いました。

「おかえり。遅かったのね。お友だちと会っていたの?」

目が腫れていることには触れず、にっこりと笑いかけると、かろうじて開いている娘のまぶたのあいだから、涙が溢《あふ》れ出してきました。

「いったい、どうしたの。突っ立ってないで、こっちにきて座ったら？　お茶を淹《い》れようと思ってたところだけど、どうする？　ミルクティーにしようか。教会のバザーで買ったクッキーがあるけど……、夕ごはんは食べたの？」

娘は涙をぬぐわず、返事もせず、頷《うなず》いたり首を動かしたりすることもなく、じっと私を見つめていました。それほどに傷付くような本気の恋をしていたのかと、娘を優しく抱きしめてやりたいような思いに駆り立てられました。

「とにかく、座ったら？」

もう一度声をかけると、二、三歩足を進めて、正座をしました。私に対してとても後ろめたい思いがあるような態度に見えました。もしや、とんでもないことを言いだすのではないか。婦人会の集まりの席で、誰かの娘が妊娠をしたという噂話が聞こえてきたことを思い出し、ぞっとしました。

何を聞いても取り乱してはいけない。自分にそう言い聞かせながら、私は座ったまま、からだの向きをかえ、娘を正面から見つめ返しました。

「何があったの？」

笑顔を抑え気味に訊ねると、娘は私から目を逸《そ》らすように下を向き、涙をぬぐいながら、込み上げてくる嗚咽《おえつ》を押し殺すように大きく呼吸を繰り返しました。そして、言ったのです。

「おばあちゃんが、わたしを助けるために、自殺したって、本当なの？」

後頭部を思い切り殴られたかのように、目の前が白くちかちかとまたたき、ひゅっと息を吸い込んだまま、気を失ってしまいそうになりました。心臓が音を立てて鳴り、外界の音が耳の奥に吸い込まれるように消えていき、代わりに、ぱちぱちと火の燃える音が奥の方から蘇《よみがえ》り、そこに母の声が聞こえてきました。

お願い、お母さんの言うことを聞いて。わたしは自分が助かるよりも、自分の命が未来に繋がっていく方が嬉《うれ》しいの。だから。

やめてお母さん、そんなことを言わないで。十年以上も前の出来事なのに、まるで、今まさにその場にいるかのような錯覚に捉《とら》われました。母の言葉はさらに鮮明に蘇ります。

あなたを産んで、お母さんは本当に幸せだった。ありがとう、ね。あなたの愛を今度はあの子に、愛能う限り、大切に育ててあげて。

そして、あの光景が——。

母は自らの舌を噛《か》み、命を絶ったのです。

私に娘を助けさせるために。私を真の母親にするために。

母の命が目の前で消え去った瞬間、音も色も、私の世界から消え去りました。ただ、母の最期《さいご》の言葉のみが、頭の中をぐるぐるとまわっていただけです。

あなたの愛を今度はあの子に、愛能う限り、大切に育ててあげて。

あの子、あの子、あの子って誰？　しっかりと目を見開くと、正面に娘の顔がありました。

「舌を嚙んだの？」

そうだ、この子のことだ。

「ごめんなさい、ごめんなさい、ごめんなさい……」

顔をゆがませながら許しを乞《こ》う言葉を口にしています。私はこの子を愛さなければならないのだ。今こそ、この子に愛していると伝えなければならないのだ。しかし、声はなかなか出てきません。呼吸の仕方がわからず、のどをあえがせ、えずきながらわずかな空気を吸い込み、娘を強く抱きしめるため、両手をまっすぐ伸ばしました。

そして、からだの中に残った空気と一緒に絞り出すように言ったのです。

「愛してる」

しかし、その思いは娘には伝わらなかったのです。いいえ、伝わったからこそ、自分が私から奪ったものの大きさに気付き、死を以《もっ》て償おうとしたのかもしれません。

神父様はすでにご存じのはずですが、娘は首を吊《つ》ろうとしました。選んだのは、庭のしだれ桜の木です。

娘は私が強く抱きしめた手を振り払い、自室へと駆けていきました。追いかけた方がいいのだろうか、と感じたものの、私には立ちあがる気力もなく、娘にかけてやる言葉も思いつきませんでした。まだ娘の感触の残る両手をぼんやりと眺めながら、どうしてこんなことが起きてしまったのかと考えました。

田所が帰ってくる気配はなく、ただ孤独だと感じながら。そのうち、うとうとと眠ってしまったようです。

目が覚めたのは、外から悲鳴のような叫び声が聞こえたからです。

「何やってるんだ！」

義母の声でした。昔話を繰り返す弱々しい声ではなく、何十人もの人たちを一喝するような、もしくは、義父との口論がヒートアップしたときのような、静まりかえった空気の幕を切り裂くような声に私は飛び起きたのです。がざがざと枝の揺れるような不穏な音も聞こえてきました。泥棒でも入ったのだろうか。そんな思いで、サンダルをひっかけてあわてて外へと出て行ったのです。

夜明け前の薄灯りの中、しだれ桜の木の元に、義母の影が見えました。地べたにへたりこんでいる横に、もう一つ影が見えました。横たわっている娘の姿です。

「ぼうっと突っ立ってるんじゃないよ。早く、救急車を呼びな」

義母にそう言われましたが、ぐったりとした娘の姿を目の当たり《ま》にした途端、足がかたまりついてしまい、その場を動くことができなくなってしまいました。

「肝心なときに怖気《おじけ》づいて、それでも母親か！」

義母は立ちあがり、母屋に向かって這《は》うように駆けていきました。私は重い足を一歩、二歩と踏み出して、娘の脇《わき》まで行き、しゃがみこんで、娘の頬に手を添わせてみました。冷たかった。手のひらを、頬から鼻や口元に移動させることは怖くてできませんでした。

娘の頭の横にあるのは、収穫した野菜などを入れるプラスティック製の黄色いコンテナ。底面を上に踏み台のように置かれてあり、その上に、折れた桜の枝が覆《おお》いかぶさっていました。そして、枝にはロープが巻きつけられていたのです。

どうしてこんなことを！

私は娘の手を握りしめ、彼女の名前を叫びました。

「清佳《さやか》！」

叫びながらふと思いました。この子の名前は清佳だったのだ、と。

救急車で運ばれた娘は一命を取りとめましたが、意識はまだ戻っていません。娘は自殺をはかった、当初、警察はそう判断しました。私もそうだと信じて疑いませんでした。

しかし、どういうわけか、私が娘を死に追い詰めたと、ある日突然、疑われるようになってしまったのです。

娘の最期のメッセージのせいなのでしょうか。娘の部屋やしだれ桜の木の周辺を中心に、警察は遺書を捜しましたが見つけることができませんでした。しかし、娘の勉強机の一番上の引き出しに入っていた、リルケの詩を書き写したノートの最後のページに、このような一文が記されていたのです。

『ママ、赦《ゆる》してください』

これは明らかに遺書であり、私が娘を殺そうとしたと疑われる証拠にはなりません。赦して、とは、母を死に至らしめたことだと思います。こうなることを恐れて、私はずっと母の死の真相について娘に隠し通してきたというのに。世の人たちは、私が故意にこの事実を娘に告げ、追い詰めたと勘違いし、私が娘を殺したなどと言っているのでしょうか?

しかし、それについては私も疑問に思うことがあるのです。どうして、娘は母の死の真相を知ったのか、と。これを知っているのは、この世にただ一人、私のみだというのに。田所ですら、知らないことです。

田所は娘が救急車で運ばれた数時間後に、病院にやってきました。

何が起きたんだ、と詰め寄られ、私は娘が庭のしだれ桜の木で首を吊って死のうとしたところを、義母が見つけて引きとめてくれたのだ、ということを話しました。十一年前の台風による土砂崩れ、その直後に起きた火事の際、母が身代わりになってくれたことを何かのきっかけで知ってしまい、自責の念にかられたのではないか、と。

すると田所は言いました。

「そんなこと、あいつはとっくに知っていたんじゃないのか?」

母が自殺をしたことを知らない田所は、私が母より先に娘を助け出し、母は火に飲まれて死んでしまった、そして、そのことを娘は知っている、と解釈していたのではないかと思います。

私は田所に、母が舌を噛んだことを話す決意をしました。私が娘を助けたことを後悔しないように、この先も、娘を愛し続けられるように、母は自らの命をもって娘を助けてくれたのだということを。そして、その事実を娘に隠し通してきたということを。

田所はいつもの、何を考えているのかわからない表情で私の話を聞いていました。こんなときこそ、何か言ってほしかった。こうなったのは誰のせいでもないと言ってほしかった。娘の意識はきっと戻るだろうと言ってほしかった。だけど、田所は何も優しい言葉をかけてはくれませんでした。

「風呂《ふろ》に入って出直してくるよ」

そう言って出て行ったきり、田所の姿は見ていません。家には一度、帰っていることは確かです。離れの玄関を上がったところに、絵が立てかけてありました。高台の家の玄関に飾ってあった、赤いバラを描いたものです。全焼してしまったあの家の中に唯一《ゆいいつ》焼け残っていたのか、田所が新しく描き直したのかはわかりません。

もしや、娘はあの日のことを知らなかったのではなく、一時的に記憶を失っていただけなのではないでしょうか。そして、記憶が蘇った……。思いついたところで、確認することもできません。

ただ一つ、確実なことがあります。

娘はリルケの詩とともに、私への最期のメッセージを残した。

田所は絵を残して、私の前から姿を消した。

私たち家族を繋いでいたものは、高台の家での美しい記憶だったのです。

でも、神父様。私はもしも願いが一つ叶《かな》うとしても、あの高台の家での暮らしに戻りたいとは思わないのです。もっと昔、父と母と三人で暮らした、あの人たちの娘でいられた日々に戻りたいのです。

いいえ、たったひとつ願いが叶うなら……。

私の愛する娘の意識が一日でも早く戻りますように、と願います。大切な母が命をかけて守ったその命が、輝きを取り戻し、美しく咲き誇りますように、と。

娘の回想

「ママよりパパが好き」

亭の妹、春奈ちゃんは当たり前のように口にする。理由を訊《たず》ねると、「ママはお兄ちゃんを優先するけれど、パパはわたしを優先してくれるから」らしく、「一人っ子だとパパにもママにも大切にされていいなあ」と続くけれど、それに対しては苦笑いを浮かべるだけだ。

そうして気付いたことがある。父親も子どもを可愛《かわい》がるものなのだと。

田所の家の考え方が古いのは当然のことながら、高台の家の頃から、我が家には、父親は外に働きに出て、母親は家を守るという構図ができていた。その「守る」の中にわたしが勝手に子育てを含めていたために、父親は構ってくれなくて当然だという思いが生じていたのかもしれない。

では、父親は外でお金さえ稼いできてくれればいいのかというと、そうでもなく、妻を守るという責任があると考えていた。父が母を守り、母が子どもであるわたしを守る。それなのに父は、母が祖母や叔母たちから理不尽な目にあっていても、まったくかばうことなく、あからさまに見て見ぬふりをしていたから、わたしは父を許せなかったのだ。

父が母をきちんと守ってくれていれば、母ももっとわたしに目を向けてくれたかもしれないのに、と。

それでも、父が母を大切に思っていないと感じることはなかった。それどころか、深い思いを抱いていたことを知り、父を見る目が変わってしまった出来事がある。父の日記を見つけたのだ。

中学生のとき、父から勧められたマルクスの『資本論』を読めば、少しは父のことが理解できるかと難解な文章を必死で追ってみたけれど、苦痛なだけだった。読んだところで、父の姿が浮かび上がってくる予感もせず、勉強机の引き出しの奥へと葬《ほうむ》った。それから三年後、社会の授業で『資本論』という本のタイトルだけを習った際、亨が興味を示したので、貸してあげることにした。できれば、これを支持する人というのはどういうタイプなのかあとで教えてほしい、と注文もつけた。亨もすぐに投げ出すだろうということを前提に。

しかし、亨は『資本論』を読み続けていた。けっこうおもしろいよ、などと口にすることもあった。休憩時間も熱心に『資本論』を読んでいる亨を見ながら、悔しさが少しだけ込み上げてきた。

わたしが理解できなかったのは、まだ中学生だったからだ。もしくは、興味の違いなのかもしれない。ただ、そこにはわたしの場合、経済についてだけではなく、父についても含まれる。

もし、これが母から勧められた本だったら、わたしはこんなにもあっけなく読むことを放棄しただろうか。どの部分が母の琴線にふれたのだろうかと、必死になって内容を理解しようとしたのではないだろうか。母と一緒に語るために。

テレビを消し、紅茶を淹《い》れて小さなテーブルに向かい合い、本の話をする。わたしはこう思ったけど、ママはどう思った？　同じ思いを共有できれば嬉《うれ》しいし、もし違う考え方でも、なぜその思いに至るようになったのかを語り合うことで、わたしが気付けなかった母の姿を知ることができるのではないだろうか。

気が付けば、窓の外は明るくなっていて、そのまま学校に行くのはきついなと感じながらも、心は満たされているに違いない。母は少しでも眠ることを勧めてくれるだろうけど、そうしてしまうと、一晩じゅう語り合ったことが夢に帰してしまいそうで、わたしはサンダルをひっかけて外に出るはずだ。

そのとき、わたしの目に映る景色が少しでも変わっていればいい。母を苦しめるためだけに存在しているような、手入れの行き届いた庭の木々も、花々も、高台の家に咲いていた花たちと同じように、ただ美しいものとして見ることができれば、どんなに幸せだろう。

そんなことを考えているうちに、父も同じことを望んでいるのではないだろうか、と感じた。例えば、亨が田所家の子であれば、わたしが思い描いたことが、父と亨で実現するはずだ。

父は男の子を欲しがっていた。わたしは男も女も一緒ではないかと、父に自分の存在を否定されたような気分になったことがある。母は今でも、時折、私は男の子を産めなかったから、と自分が不良品であるかのようなことを口にする。それが悲しくて、男の子のようにしっかりふるまわなければならない、と自己主張してきたこともあるけれど、誰もそんなのは望んでいなかったのではないだろうか。

感情にまかせて言葉をぶちまけるのは、いかにも女がやりそうなことだ。父はあきれていたから、わたしの味方をしてくれなかったのかもしれない。

話にならない。そうやって背中を向ける父を見ながら、母は抱く必要のない罪悪感に苦しめられていたのかもしれない。

父と向き合って話してみたい。そうすれば、田所家はもう少し、母にとって居心地のいい場所になるはずだ。

とはいえ、亨に『資本論』を今すぐに返してくれと言うこともできず、わたしは違うものを読んでみることにした。とっつきやすいものから入ってみようと、社会の先生にお勧めの思想本を訊ねると、おまえは何に興味があるのか、と訊《き》き返された。言われて、将来の夢らしきものを、今まで持った覚えがなかったことに気付いた。自分がおとなになる姿を想像したことがなかったのだ。世の中にどんな仕事があるのかというのもさほど意識したことがなく、自分がなれるのは会社員か教師くらいだろうと考えてみたものの、会社というのも漠然としていて、人前で答えるとしたら、教師が無難だろうと、そんな理由で、教育関係です、と答えた。

こういうところを父は見抜いていて、わたしをバカにしているのかもしれない、と感じた。

社会の先生はルソーの『エミール』を勧めてくれた。

父に全集の中に『エミール』があるかと訊ね、一緒に母屋《おもや》の二階に上がってもらおうかと思ったけれど、その頃、父は家に帰ってくるのが遅く、その晩も九時を過ぎても帰っていなかった。不況のせいでサービス残業をしなければならないのだ、という母の言葉をわたしは鵜呑《うの》みにしていた。

母や祖母に見つからないように足音を潜めて階段を上がり、りっちゃんの部屋だったところに入り、本棚のガラス戸を開けると、『エミール』はすぐに見つけることができた。棚には他にも、日本文学全集や近代美術画集、それから、タイトルをはっきりと読み取ることができない古い本も並んでいた。

買ったときから古書だったのではないかと思うような古い本を手に取ると、『リルケ詩集』であることがわかった。高台の家で夕日を眺めながら父と母が口にしていた言葉がこの中にあるのではないかという予感がした。その隣の本には表紙にもタイトルがなく、開くと縦に罫線《けいせん》のはいった紙に、角ばった文字が並んでいた。

父の日記だった。

親子とはいえ読んでもいいものだろうか、と悩んだのはほんの三秒程度だったはずだ。『エミール』と『リルケ詩集』、日記帳をカーディガンにくるむようにしておなかに抱えると、わたしは急いで離れに戻り、それらの本を自室で一冊ずつ取り出した。

一番気になるのは、やはり父の日記だった。

『母から高校の入学記念になるものを買うようにと千円渡され、悩んだ結果、この日記帳を買うことにした。できるだけ毎日書こうと思うが、僕の毎日の中に、記しておきたいことなど、どれほどもないような気もする』

そんな文章で始まる日記は、初めの一週間こそ毎日書かれていたけれど、危惧《きぐ》していた通り、特別書くことがなくなったのか、徐々に間隔が広がっていき、最終ページの日付はなんと、十年経過したものになっていた。

大袈裟《おおげさ》な比喩《ひゆ》や擬音語、擬態語を極力使用しない、淡々とした父の文章は読みやすく、わたしはひと晩で父の十年を辿《たど》ることができた。そして、これまでの人生のどの瞬間よりも、父を身近に感じることができたのだ。

『僕の世界に色はない』

父が高校二年生の頃に書いたある日の日記は、こんな一文で始まっていた。それまでの日記を読んでわかっていたことだけど、祖父は父が物心ついたときから暴力をふるっていたようだ。寺への寄付金をめぐって祖母と激しく口論になることはあっても、手を上げる姿を見たことはなかったため、初めは想像できなかった。だけど、恨みの言葉のない、ただ、殴られた、という書き方が、これは事実なのだとわたしに思わせた。

『はむかえばさらに殴られる。自分が殴られるのは我慢できる。しかし、母や妹たちに矛先が向かうのは阻止しなければならない』

父はこの家で自分を殺して生きてきたのだ。

そんな父は大学生になり、初めて家を離れる。暴力からの解放。十何年も押し込められていた思いをぶつけるかのように、父は闘争へとのめり込んでいく。しかし、父の世界に色が戻ることはなかった。

東京で新聞記者になりたいという思いはあったが、祖父から田舎に帰るよう命令され、父は素直にそれに従う。せっかく暴力から解放されたのに、父はどうして家に帰ることに決めたのか。

『戦いの場所はどこにでもある』

意気込んで田舎に帰ってきたものの、待っていたのは、若者の夢も思想も平気で打ち砕く封建的な社会で、その中心にあるのが、この家だった。その絶望感を父は絵に封じ込めることにした。

色を重ねた色のない世界。

そこに色が現れた。母との出会いだ。

『彼女の瞳《ひとみ》に映るバラを見て、初めて僕はバラを美しいと感じた。鮮やかな色が溢《あふ》れかえる、美しい家を、彼女とともに作りたい』

日記の終わりはこの一文のあと、リルケの詩、「愛の歌」で締めくくられていた。これが最終ページだからなのか、鬱屈《うっくつ》した気持ちをため込む必要がなくなったからなのか。ただ、このページの続きが高台の家へと続くことは容易に想像できた。

美しい家。父にとってもあの家は大切な場所だったのだ。そして、母はかけがえのない存在だったのだ。

母に優しく笑いかけてもらいたい。頭を撫《な》で、手を握ってほしい。そんな思いを抱き、母を見つめ続けてきたけれど、よくよく考えてみると、母は父にどのような表情を向けていたのか、思い出すことができなかった。だけど、同じ部屋で寝ていたのだから、わたしよりは母の体温を感じることができたに違いない。

高台の家に思いを馳《は》せたあとで、ふと、考えた。この家は父にとって美しい家なのだろうか、と。祖父は亡《な》くなり、父を抑圧する人はどこにもいない。祖母は父にとっては守るべき存在の人のようだ。「愛の歌」を捧《ささ》げた相手、母はいる。庭には季節ごとの花が咲き乱れている。

しかし、父にとって美しい家とは、やはり、あの高台の家のことだったのだ。

わたしは亨に父の日記を見つけたことを話した。亨はまるで自分の父親の日記を見つけたかのように、興味津々《しんしん》な様子で、どんなことが書いてあったのかと訊いてきた。おそらく亨はわたしの一番気の許せる相手だったけれど、祖父が暴力をふるっていたことまでは話すことができず、父親の大学時代のエピソードをかいつまんで話した。

喫茶店でアルバイトをしていたこと。そこのマスターにギターを教えてもらったこと。そして、闘争に参加していたということ。

亨はそれらのエピソードの中から、闘争という言葉に興味を持った。日記を読みながら、わたし自身もわくわくした箇所ではあった。一般的に「学生運動」と呼ばれるもので、国家権力に向かって立ち上がる学生たちが、ヘルメットをかぶり、角材を振り上げている報道写真を見たことがある。しかし、知っているのはその程度のことだ。

「国家権力の何と戦っていたんだろう」

亨に訊かれたけれど、父の日記には、『今こそ立ちあがるときだ』『未来をわが手に』といった抽象的な言葉ばかりが並び、具体的にどのようなことに対して声を上げているのかということがわからなかった。

亨と一緒に図書館で調べてみたけれど、学生たちが何をしようとしていたのか明確に記された文献はなく、いくつか載せられた写真を見ながら、プラカードに書かれた言葉を読み取るしかなかった。

日米安保反対、ベトナム戦争反対、医学部授業料値上げ反対、○○学生寮取り壊し反対——。

「何でもよかったんだろうな」

つぶやく亨の横で、わたしは大きく頷《うなず》いた。中東の国では戦争が起きていたけれど、日記を書いた父と同じ歳《とし》になる三年後に、戦争反対と書いたプラカードを掲げる自分の姿を想像することはできなかった。授業料も寮の取り壊しでもだ。

声を上げるべき場所はもっと身近な場所にあったのだから。


毎日見ていたはずなのに、母の後ろ姿にたじろいでしまったことがある。思いきり飛びついたら折れてしまうのではないかと不安になってしまうような、細くしなやかな腰は、面影もないほどに贅肉《ぜいにく》に包まれてしまい、すっと伸びていた背中も、中心線をとらえるのが難しいほどにゆがんでいた。

当たり前だ。一人きりでの農作業に加え、気力が衰えただけですっかり寝たきりになった祖母の世話を一人でしているのだから。母は家事以外の仕事をわたしが手伝うことを嫌がった。高校では英語研究部というほとんど活動がないに等しい部活に入っているし、休日もべったりと一緒にいたいほど亨と濃い付き合い方をしているわけでもなかったので、一緒に農作業をする時間は充分にあった。

祖父母がまだ田んぼに出ていた頃は、一緒に駆り出されるのが苦痛でたまらなかったのに、母と二人でなら、学校を休んででも手伝いたいと思っていたし、金曜日の夜はいつも、「明日、あいてるよ」と声をかけていたけれど、一緒に来てほしいとは言われなかった。洗濯や食事の支度を頼まれるくらいだ。

祖母の昼食を頼まれたときなどは、無理矢理でも田んぼについて行こうかと思った。でも、それは母の望むことではない。そうするうちに、週末は用があると嘘《うそ》をつくことが増えていった。

食事の支度が嫌なのではない。祖母と口を利《き》くのが嫌だったのだ。

「頼る人がいないってのが、これほどに不安なことだとはねえ。わたしは、哲史には仁美ちゃんと結婚してほしかったんだよ。あの子はちゃんと四年制の大学を出ているし、役場で働いているし、しっかりしているから、安心して頼ることができたのに。哲史が役場を辞めなけりゃねえ……」

初めてそれを聞いたときは、きつねうどんの載った盆ごと祖母を殴りつけてやろうかと思った。しかし、そんなことをしては、母が叱《しか》られてしまう。

「ママはものすごくがんばってるじゃん」

怒鳴りつけたいのを我慢して、穏やかに答えてみた。

「所詮《しょせん》、お嬢様のおままごとだ」

からだはどこも悪くないのに頭だけおかしくなったこの年寄りを、殺してしまえればどんなにいいだろう、と夢想しながら怒りを抑えこんだ。母がもし、祖母の死を望んでいたら、わたしはためらいなく、たるんだ肉が垂れ下がった祖母の首を絞めることができる。だけど、母はそんなことを望んでいない。

それどころか、強盗が押し入ってきて、祖母かわたしのどちらか一方だけを助けてやると、母に決定権を委《ゆだ》ねたら、もしかすると、祖母を選ぶのではないかという思いすらあった。それほどに、母は祖母に、明るい声で、優しい笑顔で献身的に世話をしてあげていたのだ。

ほうっておけば風呂《ふろ》くらい自分一人で入れるのに、腕を支え、背中を流し、寝室までつれていく。毎日そうしてもらっているのに、お嬢様、と憎々しげに口にするのは、単なる女の嫉妬《しっと》だ。お嬢様のおもかげなどどこにも残らないほどに尽くされても、祖母の目には昔のままの母の姿で映っているに違いない。

仁美さんは母からおばあちゃんの家を借りているため、家賃を届けにうちに何度か訪れることがあり、面識があった。祖母が仁美さんの名前を出すのは、学歴や仕事のためではない。自分と同じ丸い顔と団子っ鼻に親近感を覚えているだけだ。

祖母を老人ホームに入れたらどうだろうと提案すると、母はろくでなしを見るような冷やかな目つきでわたしを黙って見返す。

「あなたが今ここにいるのは、おばあさんのおかげなのに、どうしてそんな恐ろしいことを言えるの」

少しでも母の負担が軽くなるようにと提案したことは、祖母をこの家から追い出そう、という意味でしか母には伝わらない。

ママのために言ってるのに！　と泣きながら言えたら、どんなにいいだろう。力いっぱい抱きついて、わんわん泣けたらどんなに幸せだろう。

そんな思いに取りつかれるたびに、わたしはリルケの詩集を開いた。高台の家で父と母が口ずさんでいた詩を、つるバラ模様の表紙のノートを買ってきて、書き写し続けた。祖母を殺してしまいたい。目の前にあるものを手当たりしだいに破壊したい。田んぼにも火を放ってやりたい。この家にも火を放ってやりたい。

それらの思いを、大声で叫びたい。

ああ、そういうことか。と腑《ふ》に落ちた。

明日もし、学校に行って、プラカードを掲げている子たちがいれば、わたしも一緒に叫ぶだろう。内容なんてどうでもいい。バンドなど組んでいなくても、バンド活動禁止という校則の撤廃を声高に主張できるだろうし、女子のブルマーを短パンに変えろ、と真面目《まじめ》な顔をして叫ぶこともできる。一投目の石が投じられれば、迷わず後に続くだろうし、ガラス窓も最後の一枚まで割り続ける。その頃には、バンドもブルマーも、頭の中にはないはずだ。

時折、教師にくってかかるのも、もしかすると、腹にたまった鬱屈を吐きだそうとしているだけなのかもしれない。

父も自分を突き動かすものの正体を知ったうえで、学生運動に参加していたのだろうと解釈していた。

思想集など読まなくとも、日記とリルケの詩集で父を充分に理解することができたと思っていた。外見は母譲りだけれど、内面は父譲りなところが多いのではないかと感じることもあったし、それを不快とも思わなかった。

むしろ、母に愛されたいと願う同志のような気持ちでいたのに、父はわたしを裏切った。いや、母を裏切ったのだ。

大半の生徒が三年間開くことのない生徒手帳には、男女交際禁止が明記されていた。ほとんどの生徒がそんなことはまったく気付かないものとして、好きな相手には積極的に告白していたので、カップルなどまるで珍しい存在ではなかったし、わたしと亨が付きあっていることも、かなりのクラスメイトが知っていた。だけど、母に打ち明けることはなかった。

女友だちの中には、彼氏の悩みを母親に相談するという子もいた。憧《あこが》れはあるけれど、わたしには無理だ。母が今のわたしに望んでいることは、父の母校かおじいちゃんの母校、あるいはそれと同じレベルの大学に進学することだ。そのため、女友だちと出かけることもいい顔をしてくれないのに、それが男の子などということになれば、ただ、ひたすら、わたしに対して失望してしまうに違いない。

母が亨に会うなと言えば、わたしは母を裏切ってまで会おうとはしないはずだ。だから打ち明けないというのはただの屁《へ》理屈かもしれないけれど、母にがっかりされず、亨との時間も大切にしたいと考えていた。そのため、二人で会うのは、亨の家やその近くの公園などだった。

そこで、父の姿を見つけた。亨と一緒にバス停にいると、反対車線に到着したバスから一人で降りてきたのだ。どこへ行くのだろう。会社の人がこの近辺に住んでいるのだろうか。気になるなら、パパ、とひと声かければよかったのに、わたしたち親子はそういうことが気軽にできる間柄ではない。

父の背中を目で追うわたしに、亨はどうしたのかと訊いてきた。向こうの道路沿いを歩いているのが父だと、なぜか言えず、とっさに、母から用事を言付かっていたのを忘れていた、と嘘をついた。おばあちゃんの家を貸してあげている人がいるのだ、と。亨は一緒に行こうかと言ってくれたけれど、夕飯を用意してくれているかもしれないから、とさらに嘘をついて断った。

父の姿を目で追いながら、亨が帰っていくのを確認すると、道路を渡り、父の後を追いかけた。どうして亨に嘘をついたのだろう。父に亨といるのを気付かれたくなかったから、というのもある。だけど、それ以上に、何か不穏な予感がしたのだ。一瞬見えた父の横顔が、わたしが普段目にするのとはまったく違う、覇気のある表情だったからかもしれない。わたしの知らない父の顔。そこには秘密があるような気がした。

では、その秘密とは何か。同僚の家に麻雀《マージャン》をしにいくのではないか、と思いついた。父の日記に楽しかったエピソードとして書かれていることといえば、大学時代に覚えた麻雀だったからだ。残業と嘘をつきながら、時々、麻雀をしているのではないか。

母親の介護を妻にまかせきりにして、いったい何をやっているんだ。しかし、わたしが麻雀の現場を押さえたところで、どうなるというのだろう。そんな思いを抱きながら父の後をついていくと、父は一軒の家の前で足を止めた。

見覚えのある、懐《なつ》かしい場所。おばあちゃんの家だった。今は仁美さんが住んでいる、る。

玄関には灯りがともっていて、父はインターフォンも鳴らさずに、引き戸を開けて中へと入っていった。

どういうことだろう。心臓が高鳴るのを感じながら、足音を消し、門をくぐった。庭はおばあちゃんが住んでいた頃のままだった。ただし、年月をかけて根を張った木は枝を不格好に伸ばしながら力強く育っているけれど、季節の花々の姿はなかった。

灯りのともった居間の窓の外に、身を潜めて、耳を室内に集中させた。仁美さんの声、父の声。二人以外の人の気配を感じない。

「ビーフシチューを煮込んであるの。あなた、好きでしょ？」

仁美さんは父を「あなた」と呼んだ。

「いけない、ドレッシングを買ってくるのを忘れちゃった」

「作ればいいさ」

「どうすればいいのか、わからないわ。あなた作ってくれる？」

少しずつ仁美さんの声のトーンがあがっていくにつれ、胸の中がざわついた。どういうこと？　どういうこと？　込み上げてくる思いを押しとどめることができず、玄関に向かった。鍵《かぎ》はかけられておらず、わたしは息をひそめて上がった。玄関にはあじさいの絵が家の雰囲気に似合った額に入れて飾られていた。父が結婚の挨拶《あいさつ》の際に持参したものだと、おばあちゃんから教えられたことがある。

それと向かい合わせになるように、げた箱の上に、同じサイズの絵が飾られていた。違和感のある額、赤いバラを描いた絵。見覚えがあった。どうして、これがここにあるのだろう。

台所の奥から、仁美さんの声がした。

「ちょっと醬油《しょうゆ》を落としてみたらどうかしら」

あけっぱなしのドアの玉のれんごしに台所をのぞくと、父と仁美さんの姿があった。仁美さんが小鉢の中を小指でかきまぜ、そのまま父の口元まで持っていき、父は差し出された小指を、舐《な》めた。

「何してるの!」

声を上げると、仁美さんはびくりと肩をふるわせ、小鉢を落とした。それを拾うためにしゃがみこみ、口を半開きにしたまま呆然《ぼうぜん》とわたしを見上げるようなしぐさが、芝居がかっていて気持ち悪いと感じた。

父はまったく動じた様子もなく、自宅でわたしを迎えるような目でこちらを見ていた。

「説明してよ！」

　感情の赴くままに言葉をぶちまけても父には届かないとわかったはずなのに、溢れかえる怒りを抑えることはできなかった。

「ママは当然、このことは知らないよね。サービス残業なんて言って、本当は毎日ここにきていたんじゃないの？　こんな裏切り方をしてるなんて許せない！　おまけに、ここはおばあちゃんの家じゃない。あんたたち、頭おかしいんじゃないの？」

　それだけ一気にまくしたて、返ってきた父の言葉はたった一言だ。

「まあ、座れ」

　わたしと父は台所に仁美さんを残し、居間に移動した。テーブルの上にはランチョンマットが二枚敷いてあり、その上には、ナイフとフォーク、赤ワインのボトルとワイングラスが置かれていた。こんな食卓をわたしは自宅で見たことがなかった。そもそも、ビーフシチューが食卓に上ったこともなく、父の好物だということも知らなかった。

　まるで父とわたしがこれから食事をとるかのように、向き合って座った。

「ママに悪いと思わないの？」

　父は黙ったままだった。シャツの胸ポケットから煙草《たばこ》を取り出して火を点《つ》けると、これでしばらく話さなくてすむと言わんばかりに、ゆっくりと吸い込んだ。口紅のついた吸い殻とついていない吸い殻が混ざっているテーブルの上の灰皿を、視界から外すように父を見た。

「ママより、あの人がいいの？」

それにも父は何も答えなかった。溜息《ためいき》をつくように煙を吐き出しただけだ。

「離婚するの？」

「それは、ない」

ようやく出てきた言葉は、わたしの怒りの炎に油を注いだ。

「田んぼとおばあさんの世話をさせるためでしょう。都合よくただ働きさせて、自分はよその女といちゃいちゃするなんて、人間のクズだ。それなら、離婚して、ママをあの家から解放してあげてよ。わたしはママとこの家に住む。あんたはあの人と、自分の家に住めばいいじゃない」

「そういう単純なことじゃない」

「世間知らずの頼りないお嬢様を、哲史が放りだせるはずがないでしょう」

仁美さんが火の点いた煙草を片手に、部屋に入ってきながら言った。

「パパもそう思ってるの？」

父からの返事はなかった。否定しないということは肯定の意味だと捉《とら》えた。

「いつの段階で時間を止めてるの。ママがお嬢様じゃなくなったことくらい、見ればわかるじゃん。だいたい、うちが成り立ってるのはママのおかげでしょ。パパもそう言ってたじゃない。忘れたの？」

「家の中と外の世界とでは違う」父が言った。

「じゃあ、わたしが働く」

「そんな甘いもんじゃない」

「そうよ。あなたは世の中の厳しさを知らないから、二者択一で自分が望んだ片方は必ず手に入ると思い込んでしまうのよ」

仁美さんは父の隣に座り、まだ三分の一も吸っていない煙草を灰皿に押し付けた。ピンクベージュの口紅。テレビＣＭでよく目にする新色だ。母のは何年も同じ真っ赤なバラの色なのに。

「あなたがどんなに厳しい社会を知ってるっていうんですか？」

太陽の光など浴びたことのないような白い、ふくよかな肌。まっすぐ伸びた指。形よく整えられた爪《つめ》。ゆがみのない背中。筋肉も贅肉もないのっぺりとした腰。何かと戦ったという証《あか》しなど、みじんも感じ取ることができない、年輪のないからだ。

「あなたが生まれる少し前、大きなものと戦ったわ。哲史と一緒に」

「学生運動のこと？」父に訊ねた。

「そうよ」

「仁美さんに訊いてるんじゃない。パパに訊いてるの。そこで戦った自分たちは世の中を知っているとでも言いたいの？」

父からの返事はやはりない。

「暴力で家の中を支配しようとする父親に立ち向かう勇気がないから、その矛先を外側に向けただけじゃないの？ ベトナム戦争がどうなろうが、日米安保がどうなろうが、自分の心が直接傷付けられる怖《おそ》れはないもんね。それがわかっていて、学生運動に参加していたんだと思ってた。そのときにはそうじゃないと思っていても、とっくに気付いていると思ってた。だから、美しい家を作りたいと願ったんだと思ってた」

父がはっと目を見開いた。わたしが日記を読んだことに気付いたのだろう。

「なのに、また逃げて……。今度は何が不満なの？ おじいさんが死んでも解放感を得られなかった？ それとも、会社にバカなくせにえらそうな上司でもいるの？ 仁美さんといると、戦っていた時代に戻れている気分になれるんでしょう。離婚しないのは、仁美さんと家庭を持っても美しい家を築くことができないってわかってるからでしょ。それよりも、ここを逃げ場として確保しておきたいんでしょう」

返事をしないまでも、わたしの目をじっと見ていたのに、父はついと目を逸《そ》らした。

「……弱虫。ママに守ってもらって、他の女にも守ってもらって、一人で生きていけないのは自分だってことに気付いてよ。そうして、ママに謝ってよ」

「いい加減にして！」

仁美さんが声を張り上げた。父を守るかのように、背中ごしに強く抱きついている。娘の前でよくこんなマネができるものだとあきれた。この家で、二人、古臭い純愛ドラマのような世界を作り上げていたのだろうと想像すると、虫唾《むしず》が走る。

「あなたとお母さんを見てらんないから、哲史はあの家に帰りたくないんじゃない」

「仁美、それは……」

いきなり母とわたしを出されたことよりも、被害者きどりで黙りこんでいた父が仁美さんの言葉を遮ろうとしたことの方が気になった。父はうちの家族とは何の関係もない女に、わたしと母のことをどう語っているのだろうか、と。

「わたしとママの何がいけないのか、ちゃんと言って」

だんまりを決め込んでしまうだろう父よりも、わたしに罵《のの》られた分、きちんと言い返してやらなければ気が治まらないといった顔をしている仁美さんに向かって言った。

「いちいち細かいことまではわからないわよ……」

仁美さんは父の様子を窺《うかが》いながら必死だけど、お母さんはあなたから故意に
「ただ、あなたはお母さんに好かれようと必死だけど、お母さんはあなたから故意に目を逸らしている。それを見ているのが、哲史は辛《つら》いのよ」

いきなり喉《のど》の奥に手を突っ込まれたように、胸が疼《うず》き、吐き気が込み上げてきた。腹立たしくて仕方ないのに、何も言い返すことができない。突きつけられたことは事実だ。誰にも知られたくないことを、あかの他人に平然と口にされたことに、わたしは愕然《がくぜん》とした。

その姿に、仁美さんは高揚感を得たのかもしれない。

「あなたも、お母さんから好かれるのをあきらめたらラクになれたのに、負けず嫌いなところがあるんでしょうね。どうにかして、お母さんに自分の存在を認めさせようとするあまり、かえって、お母さんを傷付ける結果になることばかり引き起こしてしまうんだから、皮肉なものね」

もうやめて、と叫んでしまいたかった。誰か助けて、と泣き出してしまいたかった。すがる思いで父を見つめると、一瞬、目を合わせてしまったことを後悔するように、小さく溜息をつきながら逸らされてしまう。俺を巻き込まないでくれ、というふうに。

だけど、わたしにはわかっていた。仁美さんが語ることとは、父が仁美さんに語ったことだと。父はわたしと母をそんなふうに見ていたのだということを。

それなら、どうにかしようと試みてくれてもよかったのではないか。本棚に並んだ思想全集の中に、田舎の一家族が幸せに過ごせるヒントは、何一つ書かれていなかったのだろうか。

「でもね、あなたとお母さんがうまくいかないのは、仕方ないことなのよ。悲しい事故のせいなんだから。べったりと依存しきっていた母親が、娘を守るために自殺したとなれば、簡単に割り切れないわよね」

母親が誰を指し、娘が誰を指しているのか、頭が混乱しているせいでよくわからなかった。事故と言われて、母の流産が思い浮かんだけれど、言葉のイメージからして、もっと古い出来事を指しているように感じた。

ならば、高台の家が台風のせいで火事になったことか。亡くなったのは、おばあちゃんだ。おばあちゃんは土砂に押し流された簞笥《たんす》の下敷きになって死んだのではなかったのか。もしくは、焼死。

「お母さんは、自分の母親と娘、どちらを先に助けようかと迷っていた。火の手はすぐそこまで迫ってきている。おばあちゃんはお母さんにあなたを助けさせるために、自ら命を絶った」

「嘘だ！　おばあちゃんはからだを動かせなかったのに」

「舌を噛《か》んだのよ。お母さんは大切な母親が死んでしまったことよりも、母親があなたを守ったことが許せなかったんじゃないかしら。だって、愛する人が最期《さいご》に選んだのは、自分ではないということを目の前で突き付けられたんだから……」

嘘だ、嘘だ、嘘だ、デタラメを言うな！

ワインのボトルを仁美さんの頭めがけて振り下ろし、家から飛び出した。外灯がまばらにともる細い道を駆け抜けて、海岸通りに出た。バスは通学時間以外、一時間に一本だけだ。もしも、このとき、バスが来るまでに時間があれば、わたしは公衆電話に飛び込んで、亭に助けを求めていたかもしれない。

しかし、バスはすぐ目の前にやってきた。早くママのところへ行け、といわんばかりに。わたし以外に乗客のいないバスの後部座席につくと、仁美さんの言葉が頭の中いっぱいに膨らんでいった。

おばあちゃんはママにわたしを助けさせるために、舌を噛んで自殺をした。

正気を取り戻そうと、窓に目をやると、わたしの顔がくっきりと映っていた。ますます母に似てきたと言われるけれど、それは母だけを知る人たちの言葉であって、わたしと同じ顔をしているのは、おばあちゃんの方だ。

優しいおばあちゃん。布団《ふとん》の中に潜り込むと、そっと足を温めてくれる……。思い出せ、あの日のことを。おばあちゃんの言葉を、母の言葉を。だけど、そうやって頭の中に聞こえてくる言葉は、実際に母とおばあちゃんが交わした言葉ではなく、わたしが都合よく作りあげている言葉ではないか。

この子を愛してあげて、なんて——。

家へ帰ると、母の顔を正面から見ることができなかった。真実を知ることも辛かった。仁美さんから突き付けられたことを、否定してほしかった。十代のくそガキに好き放題言われたことが悔しくて、あの場で、聞きかじった事実を元に、わたしが一番傷付く話を捏造《ねつぞう》したのだということを証明してほしかった。

誰がそんな言い方をしたの？　おばあちゃんを冒瀆《ぼうとく》するなんて許せないわ。

そんな言葉をバスの中でも、家に向かう夜道を歩きながらもずっと想像していた。

しかし、母は否定しなかった。悲しそうにわたしに向かい両手を伸ばすのが、スローモーションのように見えた。わたしは一瞬、抱きしめられるのかもしれないと思った。

母が一人で抱えてきた悲しみを、これからは二人で共有していくことになるのだ、と喜びに似た感情が湧《わ》き上がったと同時に、首に強い圧力を感じた。母の節くれだった指はわたしの首にからみつき、指紋の型さえ感じてしまう厚くざらざらとした指先が、わたしの喉に少しずつ食い込んでいった。

母にならば殺されてもいい。だけど、それじゃあダメだ……。

わたしは渾身《こんしん》の力を振り絞って、母を突き飛ばした。自室に駆け込み、ドアを押さえたけれど、母が追いかけてくる気配はなかった。

どうしてわたしはここにいるのだろう。あの夢の家と一緒に燃え尽きてしまえば、母の思い出の中で、愛する娘としていつまでも生き続けることができたのに。

おばあちゃんが亡くなったのと同じ時刻まで、母やわたしを連想させるリルケの詩を、をノートに書き連ね、最後に母へのメッセージを添えた。足音を忍ばせて外に出ると、まだ空は薄暗かった。できることなら、自室でそっと手首を切って死にたかったけれど、わたしの首には指のあとが赤く残っている。幸い、倉庫の中にはロープも踏み台にちょうどいいコンテナもあった。農家でよかった、と死の間際《まぎわ》に初めて思えたことがおかしくて、少し笑った。

どの木で死ぬかは決めてある。この家に越してきたときから、母がときおり、愛《いと》おしそうにその木に触れているのを、いつも遠目に眺めながら感じていた。ママはあの木をおばあちゃんだと思っているのだ、と。だから、わたしもおばあちゃんの木だと思うようになった。

おばあちゃんの木でわたしが死ぬことを、母は不快に思うかもしれない。だけど、最後のわがままを許してほしい。怖くてたまらないこの思いを受け止めてくれるのは、このしだれ桜の木だけなのだから。

ママ、赦《ゆる》してください――。

別れを告げたはずなのに、暗闇《くらやみ》で母の声がきこえると感じるとは、なんてずぶといのだろう。この手を握りしめてくれているのが母だと思えるとは、なんておめでたいのだろう。

名前を呼んでくれたと感じるなんて。

そうか、わたしの名前は「清佳」だったんだ。

*

来るがいい　最後の苦痛よ　私はお前を肯《うべな》っている
肉体の組織のなかの癒《いや》しがたい苦痛よ
嘗《かつ》て精神のなかで燃えたように　ごらん　私はいま燃えているのだ
お前のなかで。薪《たきぎ》は久しく抗《あらが》っていた
お前が燃やす焔《ほのお》に同意することに。
けれどもいま　私はお前を養い　お前のなかで燃えている
私のこの世での穏和は　お前の憤《ふん》怒《ぬ》のなかで
この世のものならぬ冥府《めいふ》の怒りとなっている
まったく純粋に　なんの計画《プラン》もなく　未来からも解放されながら
私は苦悩の乱雑な薪《たきぎ》の山のうえにのぼっていった
なかに無言の貯《たく》え《わ》がしまってあるこの心を代償に
このように確実に未来を購《あがな》うことは　何処《どこ》でもできはしない
いま　人目にたたず燃えている　これがまだ私なのだろうか？
思い出を私はもってゆきはしない
ああ　生《せい》　生とは外にいることだ
だが　焔のなかにいる私　その私を知っている者は誰もない

終章　愛の歌

母性について

りっちゃんにたこ焼きをもらったので今から行くね、と母にメールを送り、田所の家へと向かう。

母は毎週日曜日、キリスト教のあまり聞きなれない宗派の活動に参加している以外は、わたしが家にいた頃と何も変わらない。

祖母はからだも衰えて完全な寝たきりになって十年以上経《た》ち、認知症の症状は年々悪化しているが、まだ健在だ。母の負担は増えるばかりだが、祖母の介護をする母の表情は明るい。

祖母は、一人でひょっこり帰ってきたりっちゃんや、一家でこの町に戻ってきた憲子おばさんも認識できず、女性を総じて「お姉さん」と呼ぶのに、母のことは「ルミ子ちゃん」と名前で呼んでいる。そのうえ、かかりつけの医者や介護士たちには、「わたしの大切な娘」と紹介しているのだから、母の思いは祖母に伝わったと解釈してもいいのだろう。

祖母はわたしのこともまったく認識できていないけれど、週に一度は手土産持参で顔を見せるようにしている。なんといっても、命の恩人なのだから。そのあたりの記憶はあるのか、母以外の人に出されたものは、遠慮してなかなか手をつけようとしないのに、わたしの手土産は待ってましたとばかりに手を伸ばす。

父は姿を消して十五年後になる三年前に、ふらりと帰ってきた。持ち物はくたびれたシャツの胸ポケットに入っていた空になった煙草《たばこ》の箱だけ。仁美さんの姿はなく、二人で逃げた翌年には捨てられていた、と言って、申し訳なかった、と母とわたしに頭を下げた。母は、おかえりなさい、と答えただけだ。

わたしは時折、ワインボトルで仁美さんを殴り殺した夢を見て、うなされることがあった。目が覚めて思うのは、父はわたしをかばうために姿を消したのではないか、ということ。父に、仁美さんは生きているのか、と訊《たず》ねると、ワインボトルで人を殺せるのは二時間ドラマの中でだけだ、とあきれたように……、たぶん笑っていたのだと思う。

父が逃げたのは、罪悪感に駆られてのことだった。

あの台風の日、父が高台の家に向かっているると、火が上がっているのが見えた。急いで家まで駆けつけ、玄関を開けた父が最初にしたのは、赤いバラを描いた絵を安全な場所に持っていくということだった。

再び家の中に入ると、母の悲鳴が聞こえた。駆け寄って、簞笥《たんす》の下を覗《のぞ》き込むと、おばあちゃんが舌を嚙《か》んで息絶えている姿が見えた。何が起きたのかと訊ねる父に母は半狂乱になって答えた。

あの子を助けろって、お母さんが……。

簞笥の下にわたしもいることに気付いた父はわたしを引き出し、母を連れて外に逃げた。

絵なんかほうっておけば、お義母《かあ》さんも一緒に助けることができたかもしれなかったのに。

父はその罪悪感から逃れるため、母から、そして、わたしから、目を逸《そ》らすようになったらしい。自分に都合のいいように仁美さんに話してきかせ、現実逃避しようとした。しかし、事故から十一年後、仁美さんと二人で会っているところにわたしが乗り込んできて、仁美さんが、おばあちゃんが自殺したことを話してしまう。

父はおばあちゃんが自殺したことをわたしは知っていると思っていたらしい。わたしが首を吊《つ》った理由を母から聞き、父は自分が娘までも追い込んだことを苦にして、仁美さんに一緒に逃げてほしいと頼んだのだ。

仁美さんは自分にも責任があると感じ、親にも職場にも連絡を入れず、すべてを捨ててついてきてくれたが、都会に出ると、貧乏暮らしを幸せと思える時代ではなくなっていたことに気付いたのか、ある日忽然《こつぜん》と、父の前から姿を消してしまった。

父はわたしにも詫《わ》びてくれた。

母は父を許すと言い、わたしも頷《うなず》いた。生き返って以降、あまり物事を深く考えなくなったせいか、父に対して怒りの気持ちは湧《わ》いてこなかった。目が覚めたとき、母に手を握られ、名前を呼ばれたことで、わたしの欲求は満たされたのだ。それでも、煙草をやめるなら、と条件をつけてみた。父は苦笑いを浮かべただけだったが、かわいそうだわ、と母がわたしを窘《たしな》めた。

父と母は田んぼを潰《つぶ》し、ビニルハウスを建て、カーネーションを中心とした花卉《かき》栽培を始めた。それほど成功しているとは言い難いが、花に囲まれた二人の横顔は、いつか見た風景と重なることが多く、これでよかったのだ、と思わせてくれる。

父が帰ってきた翌年、わたしは結婚して家を出た。時代遅れの団体活動にのめり込み、器物損壊という前科が一つついてから、ようやく今が二十一世紀に入って十年経ち、武装では世の中を変えることができないと気付いた亨とだ。

母は挨拶《あいさつ》に訪れた亭に深く頭を下げてこう言った。

「愛能《あた》う限り、大切に育てた娘を、幸せにしてやってください」

涙はこれっぽっちも出なかった。おばあちゃんの家だったところが、わたしたちの家となった。庭には季節ごとに花を植え、玄関には父が描いてくれた絵を飾った。

花の咲き乱れる、高台の家を彷彿《ほうふつ》させる美しい家の窓辺に、父親と母親と娘、三人のシルエットが映っている。かつての父と母とわたしの姿であり、これからの亭とわたしとわたしたちの子ども、娘である予感がする、の姿かもしれない。

子どもができたことを母に伝えると、おばあちゃんが喜んでくれるわ、と母は涙を流しながら庭のしだれ桜の木を見上げた。ママはどう思ってるの？　とは訊《き》かない。

わたしは子どもに、わたしが母に望んでいたことをしてやりたい。愛して、愛して、愛して、わたしのすべてを捧《ささ》げるつもりだ。だけど、「愛能う限り」とは決して口にしない。そんなわたしを子どもはもしかすると、鬱陶《うっとう》しがるかもしれない。

それも愛に満たされた証《あか》しの一つだ。

時は流れる。流れるからこそ、母への思いも変化する。それでも愛を求めようとするのが娘であり、自分が求めたものを我が子に捧げたいと思う気持ちが、母性なのではないだろうか。

メールの着信音が鳴った。
『楽しみだわ。気をつけてね』
古い屋敷の離れに灯りがともっている。ドアの向こうにわたしを待つ母がいる。
こんなに幸せなことはない。

＊

お前の魂に　私の魂が触れないように
私はどうそれを支《ささ》えよう？　どうそれを
お前を超えて　他のものに高めよう？
ああ　私はそれを暗闇《くらやみ》の　なにか失われたものの側《そば》にしまって置きたい
お前の深い心がゆらいでも　ゆるがない
或《あ》る見知らぬ　静かな場所に。
けれども　お前と私に触れるすべてのものは
私たちを合わせるのだ　二本の絃《いと》から
一つの声を引きだすヴァイオリンの弓の摩擦のように。

ではどんな楽器のうえに　私たちは張られているのか？
そしてその手に私たちを持つ　それはどんな弾《ひ》き手であろう？
ああ　甘い歌よ

解説

間室道子

ミステリーの手法のひとつに「信用できない語り手」というのがある。

誰かの独白や手記で物語が進行していく書き方で、サスペンスや心理小説でよく使われるのだが、たとえば詐欺師《さぎし》が語り手であるミステリーはどうだろう。奴《やつ》は根っからのだましのプロだ。綴《つづ》られていることをうのみにすると、読者はのちにとんでもないトリックにひっかかっていたと気づき、歯噛《はが》みする。手品師やイリュージョニストが物語る話も要注意だ。

精神が不安定な人が語り手である作品も油断できない。心を病み、病院から退院したばかりの女性、トラウマを抱えた捜査員、過去と現在の区別がつかなくなっているご老人etc、彼らの抱えている不安が、物語の屋台骨そのものをぐらつかせ、読者はスリル満点でページをめくることになる。

意外かもしれぬが、3つ目の信用できない語り手は、「とってもいい人」である。

アガサ・クリスティーにも一作あるのだが、善人を自負する語り手には自分は何ひとつ間違っていないというかたくなさがある。ささいなことでも否定されれば、人生すべてを木端微塵《こっぱみじん》にされたぐらいのショックを受ける。それに自分でうすうす気づいてるから、とってもいい人のとってもいい言動は、武装のような威嚇《いかく》や脅威で他者に迫る。反論は一切許さない。もしくは耳に入らない。その理論ややり方は、ほんとうは穴だらけなのに。

さらに要注意な語り手に、「苦しんでいる子供」がある。精神的に、肉体的に、苦しんでいる子供は、思い出を美化したり、逆にたわいもないことを針小棒大にして覚えていたりするので、心理ものやスリラーでは語り手として信用できないのだ。

『母性』は、ある17歳の少女の、自殺か事故かわからない転落記事から始まる。そして「母の手記」と「娘の回想」、冒頭の新聞記事を含めた「母性について」という幕間《まくあい》的な会話の3つで構成される。このうちの「母の手記」の書き手がとってもいい人であり、「娘の回想」が苦しんでいる子供である。二人が母娘というのが、悩ましいところ。二大「信用できない語り手」の激突で、本書は進むのである。

「母の手記」は〈私〉という漢字の一人称で進行する。〈私〉は、お母さんを全身全霊で愛している。感心しながら行を追うが、そのうちどんどんへんな気分になってくる。「私は母の分身なのだから、同じものを見て違う思いを抱くなど、あってはならないこと」だの「母に隠し事をしたことは、生涯一度もありません」だの、おいおい、と突っ込みたくなる言葉があちこちにまき散らされ始める。ふつう、いい人が歪《ゆが》むというと、「悪に走る！」とか「グレる！」とか思いがちだが、いい人がいい人のままねじ曲がっていくのを読者は目《ま》の当《あ》たりにする。

〈私〉は24歳で、絵画教室で知り合った男と結婚する。決め手は、この男の誘いに乗ったりプレゼントをもらったりすると、お母さんが幸せそうだから。相当な重症である。〈私〉は女の子を産み、母親になる。そしてある台風の日、〈私〉は自分のお母さんと娘とのあいだで究極の選択を迫られる。

この日を境に、お母さんははるか遠くへいってしまった。〈私〉に残されたのは娘だけ。〈私〉は思う。「私には母親がいないのに、この子にはいる」「どうしてこの子は母を亡《な》くした私の気持ちなどおかまいなしに、当たり前のような顔をして、甘えてくるのだろう」——「母の手記」は、タイトルはそうなんだけど、「いつまでもお母さんの娘でいたかったのに」という思いダダ漏れの、「うらみの娘精神」で書かれているのだな、とわかってくる。

一方の「娘の回想」は、ひらがなの〈わたし〉で進行する。「漆黒の闇《やみ》の中で思い描くのは」という言葉で始まり、「今いるこの闇は永遠に明けないような予感がする」という不穏な言葉が続く。

台風の惨劇のあと父親の実家へ身を寄せた〈わたし〉たちだったが、ここにいるのが猛烈にいじわるな祖母＝姑《しゅうとめ》であった。〈わたし〉のママはいじめ抜かれる。お嬢様育ちだったママに課せられる過酷な農作業、家事一切。お金はもちろん、感謝の言葉も与えられない。〈わたし〉は食ってかかり、ママをかばおうとする――「娘の回想」は、ママの楯《たて》になろうとする、「親心めいた視線」で書かれているのである。

こんな〈私〉と〈わたし〉であるが、互いへの思いはまあみごとにくい違っている。「母の手記」には「私は愛能《あた》う限り、娘を大切に育ててきました」「私がどれだけ娘に愛情を注いでいたか」という言葉があふれ、「娘の回想」には「母から殺したいほど憎まれる」「拳《こぶし》を繰り返し振り下ろされる」「胸を切り裂かれるような言葉を投げつけられ」とある。

一方が覚えていることを、一方は覚えていない。たまに同じできごとを語っていても、双方で受け止め方がまるで違う。心配させまいと涙をこらえる顔は、相手には自分に対する仏頂面《ぶっちょうづら》にしか見えない。一方は、強く抱きしめるため、両手を伸ばしたと綴り、一方はそれで首を絞められた、と言う。さすが、信用できない語り手たち！

でもこの物語は、母と娘、どっちの言い分が真実かを決めるものではない。「こういうのは愛情ではなくただの執着でしょ」とか「親は子供の成長とともに親になっていくのに、それができてないのね」とか訳知り顔で分析したり、「こうならないように普段から親子でよく話し合いましょう」という教訓を得たりするものでもない。これは、悲劇なのだから。こんなに真向から対立する〈私〉と〈わたし〉の言い分なのに、彼女たちはまったく同じだとも言える。「自分はこんなに相手を愛しているのに、相手にはそれが伝わらない」というひりつく思いで、心が炎上寸前なのだ。〈私〉も〈わたし〉も信用できない語り手だ、と思って読めば、鬼姑による「嫁いじめ」のシーンにもいや～な深刻さは生まれない。そして幕間の「母性について」に顔を出す意外な人たちが「あら、この人って！」とこのへんの「実家のできごと」を緩和する。

鬼のような姑もなかなか興味深いキャラなのである。嫁である〈私〉をこきつかいながら、自分の娘たちには家事や農作業をさせない。彼女もまた「母」であり、嫁は理由なく憎いが娘は理由なく可愛《かわい》いのである。

さて、壮絶なドラマの中で男たちはどうしているかというと、ほんとうに存在感がない。というか、とんちんかんである。

手近な辞書で「母《ぼ》」を調べてみると、【①はは。「―子・―胎・―乳」「祖―・父―」②根拠地。出身地。「―校・―港」③物を生みだす元になるもの。「―音・―型」「酵―」④母のような役割を担《にな》うもの。「聖―・寮―」】と、いいことがいっぱい書いてある。一方「父《ふ》」を見ると、【①ちち。「―子・―母」②年老いた男性。「漁―」】

……え、これだけ?!

あの台風の夜、究極の選択を突きつけられたのだ、と物語後半、妻である〈私〉に激白された夫（つまり〈わたし〉の父親）が放った一言には、もう、〝さすが「父《ふ》」だ！〟とある意味感心。長いこと家長制度とか男尊女卑とか、「父親上等」であった日本だが、分数は「分父」ではなく、国は「父国」ではない。表立って男たちが力を振るってきた長い社会が、「母」に期待し、甘え、後始末を押しつけてきたものは、とてつもなく大きいのだ。

あまりにどちらも信用できないものだから、母である〈私〉と娘である〈わたし〉は、読み手の中でどんどん混じり合う。最後には鬼姑さえ巻き込んで、一つの存在になっていく気がする。それは、「女」だ。

鬼姑と〈私〉と〈わたし〉が、全員一致で「これは本当にあったことだ」と認めるのは、舅《しゅうと》の過去の行動だ。「男」というものの身勝手さ、そしてそれに長く傷つき、心が固まってしまった者をいとおしむ気持ち。「女」ならではの底知れぬ愛がここにある。
さあ、「終章」だ。皆さんはこれをどう受け止めるだろう。安心はできない。だって、語り手は相変わらず信用できないんだから。この結末が、幕間劇をふくめて眠っている娘が見ている幻だったらすごいと思う。

とにかく信用できない二人の語り手によるドラマを堪能《たんのう》しよう。「信用できない語り手もの」が持つ不安定さは、彼らではなく、読み手である私たちの常識や正気、弱さ、愛を確認するためのものなのだから。

『母性』がハードカバーで出たとき、「これが書けたら、作家を辞めてもいい。その思いを込めて書き上げました」という作者・湊かなえさんの言葉が帯についていたが、その後湊さんは、シナリオを含めると、現在までに7つの新作を出している。「辞めてもいい」という思いは、徒競走のゴールテープではなく、跳び箱の踏切板のようなものなのだろう。とても面白い小説というだけでなく、作家であるということは、書き続けるということは、どういうことなのか、湊さんがしっかり自分と向きあった跡がうかがえる作品。こんな信用できない語り手の作品が書けるミステリー作家を、私はとても信用している。

（平成二十七年三月、代官山　蔦屋書店　文学担当）

この作品は二〇一二年十月新潮社より刊行された。
作中の詩は『リルケ詩集』富士川英郎訳（新潮文庫）より引用した。

有川浩著
レインツリーの国
きっかけは忘れられない本。そこから始まったメールの交換。好きだけど会えないと言う彼女にはささやかで重大なある秘密があった。

有川浩著
三匹のおっさん ふたたび
万引き、不法投棄、連続不審火……。町内のトラブルに、ふたたび〝三匹〟が立ち上がる。おまけに〝偽三匹〟まで登場して大騒動！

伊坂幸太郎著
ゴールデンスランバー
山本周五郎賞受賞
本屋大賞受賞
俺は犯人じゃない！ 首相暗殺の濡れ衣をきせられ、巨大な陰謀に包囲された男。必死の逃走。スリル炸裂超弩級エンタテインメント。

伊坂幸太郎著
オー！ファーザー
一人息子に四人の父親!? 軽快な会話、悪魔的な箴言、鮮やかな伏線。伊坂ワールド第一期を締め括る、面白さ四〇〇％の長篇小説。

伊坂幸太郎著
あるキング
—完全版—
本当の「天才」が現れたとき、人は〝それ〟をどう受け取るのか——。一人の超人的野球選手を通じて描かれる、運命の寓話。

伊坂幸太郎著
ジャイロスコープ
「助言あり〼《ます》」の看板を掲げる謎の相談屋。バスジャック事件の〝もし、あの時……〟。書下ろし短編収録の文庫オリジナル作品集！

恩田 陸著

六番目の小夜子

ツムラサヨコ。奇妙なゲームが受け継がれる高校に、謎めいた生徒が転校してきた。青春のきらめきを放つ、伝説のモダン・ホラー。

恩田 陸著

夜のピクニック

吉川英治文学新人賞・本屋大賞受賞

小さな賭けを胸に秘め、貴子は高校生活最後のイベント歩行祭にのぞむ。誰にも言えない秘密を清算するために。永遠普遍の青春小説。

恩田 陸著

中庭の出来事

山本周五郎賞受賞

瀟洒なホテルの中庭で、気鋭の脚本家が謎の死を遂げた。容疑は三人の女優に掛かるが。芝居とミステリが見事に融合した著者の新境地。

白石一文著

心に龍をちりばめて

かつて「お前のためなら死んでやる」という謎の言葉を残した幼馴染との再会。恋より底深く、運命の相手の存在を確かに感じる傑作。

白石一文著

ここは私たちのいない場所

かつての部下との情事は、彼女が仕掛けた罠だった。大切な人の喪失を体験したすべての人に捧げる、光と救いに満ちたレクイエム。

本多孝好著

真夜中の五分前

five minutes to tomorrow (side-A・side-B)

双子の姉かすみが現れた日から、五分遅れの僕の世界は動き出した。クールで切なく怖ろしい、side-Aから始まる新感覚の恋愛小説。

母《ぼ》　性《せい》

新潮文庫　み－56－1

平成二十七年七月一日発行
令和二年十一月十五日二十四刷

著者　湊《みなと》かなえ

発行者　佐藤隆信

発行所　株式会社新潮社

郵便番号　一六二―八七一一
東京都新宿区矢来町七一
電話　編集部(〇三)三二六六―五四四〇
　　　読者係(〇三)三二六六―五一一一
http://www.shinchosha.co.jp

価格はカバーに表示してあります。

乱丁・落丁本は、ご面倒ですが小社読者係宛ご送付ください。送料小社負担にてお取替えいたします。

印刷・錦明印刷株式会社　製本・錦明印刷株式会社

ISBN978-4-10-126771-5 C0193